닥터데넨
점을 이어 선으로
Dr. DENEN
Connecting the dots

김용범 지음

...

상처받은 이들을 응원하며

...

자신이 어렸을 때 고생을 많이 하고 성공한 사람들은 보통 자신에게도 엄격하지만 상대방에게는 더욱 엄격하다. '내가 이만큼 고생해서 아는데 너는 이것도 못해?' 라는 식이다. 그래서 상대방을 더욱 엄격하게 밀어붙이게 되며 상대방을 가르치려 들고 심하면 상처를 주게 된다.

나도 그랬다. 이런 식의 오류에 빠지게 되면 자신의 인생이 항상 긴장 상태에 놓이게 되며 괴롭다. 그래서 나를 포함한 이런 사람들이야말로 상대방에 대한 공감 능력이 더욱 필요하다고 생각한다. 또한 자신의 상처가 큰 사람일수록 타인을 응원하는 것이 아니라 상대방을 더욱 엄격하게 대하는 것도 비슷한 맥락이다. 그래서 이 글을 프롤로그에 쓰는 까닭도 다음의 내 글들이 그렇게 보일 수 있을 것 같아서다.

또한 내 글들도 결국 한없이 부족한 나 자신에게 말하는 투사(投射, projection)적인 글들이다. 그래서 나의 모든 글들은 그냥 참조만 하길 바란다. 아니 그냥 꼰대의 넋두리로 생각하고 버려도 좋다.

이 세상 모든 사람들은 저마다의 상처가 있다. 지금 행복한 표정의 결혼식장의 신랑, 신부 그리고 모두가 부러워하는 성공한 이들도 알고 보면 다들 저마다의 상처가 있는 사람들이다. 그래서 우리는 서로를 이해해야 한다고 생각한다. 자신을 포함한 모든 상처 받은 이들을 서로 응원하자.

2023년 마지막날에
의암원에서 김용범

TABLE OF CONTENTS

우리는 무엇을 위해 일하는가?

우리는 어떠한 리더가 되어야 할까?

진정한 젊음이란 무엇일까?

첫 번째 점, 야나기타(柳田)

그는 평범한 사람이라고 보기에는 비범했고, 비범한 사람이라고 생각하기에는 평범해 보이는 매우 기묘한 사람이었다. 그가 이곳을 찾았던 시기는 가끔 가벼운 소나기가 내리지만, 습도가 점차로 낮아지는 쾌적한 날씨의 9월 말 즈음이었다.

평생을 도진마치(唐人町駅) 인근을 한 번도 벗어나 본적이 없이 살아왔던 나는 인생에 별다른 욕심이나 하고 싶은 특별한 일이 그다지 없었고, 그런 나에게 하루하루의 삶은 평범하기 이를 데 없었다. 그저 욕심이 있다면 동네 단골집으로 자주 찾던 야키토리 가게인 '히로'에서 맥주와 함께 하루를 마감하는 것 정도가 남아 있었을 뿐이다.

하카타역 근처나 텐진, 나카스 등 후쿠오카라면 어디에나 야키토리집이 줄잡아도 몇백 개는 있겠지만, 내가 찾는 곳은 빨간색 입간판을 세워둔 '히로'뿐이다.

술이 살짝 올라올 정도까지만 마시자는 주의지만, 가끔 조금 더 취하는 날이 있는데 그런 날은 영락없이 히로에서 야키토리를 먹는 방법을 모르는 사람들을 만난 날이다. 간혹 야키토리를 꼬챙이에서 빼내어 그릇에 따로 덜어서 먹는 사람들이 있다. 내가 보기에 그들은 정통파가 아니다. 그릇에 덜어서 먹을 거라면 애초에 닭고기를 꼬챙이에 끼울 이유가 어디에 있단 말인가?

전통을 모르거나, 자기 취향에 따라 제멋대로 살아가는 사람들에게 야키토리란 과분한 음식이다. 개인의 취향이 존중받을 만한 것이라고 떠들어대는 사람들은 대부분 존중받을 만한 고상한 취향을 갖지 못한 사람들이 대부분이다.

데넨 상에 대한 내 첫 느낌은 절반만 그릇에 덜어낸 야키토리를 보는 것처럼 어중간했다. 그의 목적은 분명했지만, 그를 대하는 나의 목적이 불투명했기 때문에 이렇게도 저렇게도 어중간했다. 내가 데넨상의 이름을 처음 들은 것은 낯선 사내의 전화를 통해서였다.

"모시모시(もしもし), 야나기타(柳田)상 되십니까?"

"네. 그렇습니다만, 실례지만 누구십니까?"

"안녕하십니까? 저는 KMP그룹
비서실의 실장인 가케가와 마코토(掛川誠)입니다."

"아, 네. 그러시군요. 그런데 KMP 그룹 비서실에서 저에게 무슨 일로 연락을 주셨을지요?"

"혹시 선생님께서 도진마치 인근에 땅을 소유하고 계시지 않습니까?"

"네, 그렇습니다만, 그 사실을 어떻게 아시는지요?"

"매우 실례였습니다만, 저희 KMP 그룹의 데넨 회장님께서 특별한 사업을 계획하시면서 적임지를 물색하는 과정에서 우연히 알게 되었습니다. 실례였다면 다시 한번 죄송합니다."

"실례는 아닙니다만, KMP 그룹 같은 곳에서 이 한적한 곳에 어떤 관심이 있으실지 모르겠습니다."

사실 일본 부동산업계에는 1,000개의 말 중 3개만이 진실(せんみつ)이라는 속어가 널리 알려져 있다. 내가 알기로 KMP 그룹은 그 본령이 부동산 사업으로부터 시작했던 것으로 기억하고 있어서 지금은 대기업이 되었지만, 쉽게 신뢰할 수 없다는 생각이 들었다. 부동산업계에서 그만큼의 대기업이 되었다는 것은 '카코이코미'(囲い込み) 영업 없이는 가능하지 않았을 것이라는 점이 내 추측이었다.

유달리 친절하며 웃는 낯으로 다가와 정보를 독점하면서 양쪽으로 수수료를 받아 가는 이 행태는 가뜩이나 높은 수수료에 폭리까지 취하는 일이라고 항상 생각해 왔다. 야키토리를 그릇에 수북하게 쌓아놓고 먹는 모습만큼이나 부동산업이라는 것은 나로서는 용납할 수 없는 지점이 분명히 있었고, 그것은 나에게는 고집이랄지 신념이랄지 아마 그 중간 어디에 해당하는 것이었다.

"흥! 깨끗한 부자가 어디 있을라구. 어떤 이유에서인지 모르겠지만 영 관심이 가진 않는구만."

나도 모르게 코웃음을 치고 있었다. 물론 수화기 너머로 그 코웃음이 전해지지 않도록 한껏 조심하면서도 말이다.

"매우 죄송합니다만, 제가 가지고 있는 땅은 팔기 위한 것이 아닙니다. 딱히 팔아야 할 이유도 없고, 팔아서 무엇인가를 하고 싶은 마음도 없습니다. 땅을 알아보고 계신다면, 다른 땅을 알아보시는 것이 더 좋지 않으실지요?"

"저희 회장님께서는 현재 시세보다도 더 넉넉하게 협상하실 의향이 있으십니다. 그래도 어려우실까요? 조금만 더 여유를 가지고 생각해 주시면 감사하겠습니다."

"가격이 중요한 것은 아니라서요. 죄송합니다."

"현재 매각 계획이 없으시더라도 모쪼록 좀 더 긍정적으로 검토해 주셨으면 합니다. 정중히 부탁드립니다. 마땅히 찾아뵙고 말씀을 나눠야 할 텐데 오늘은 전화를 드려서 매우 죄송하다는 양해의 말씀을 다시 한번 드립니다. 적절한 시일이 지난 후 다시 연락을 드릴 테니 한 번만 더 검토해 주시길 부탁드립니다."

"네, 알겠습니다."

며칠이 지난 후, 비서실에서는 다시 전화가 왔고 시세보다 높은 가격을 제시했지만, 그렇다고 해서 마음이 바뀔 내가 아니었다.

"야나기타상"

영문을 알 수 없는 노릇이었다. 내 아내가 나를 부를 때, '*あなた*'가 아닌 '상'자가 붙는 날에는 필시 무엇인가가 있는 날이었다.

"당신, 또 무슨 이야기를 하려구 나를 그렇게 부르나요?"

"이야기를 들었으니까요."

"무슨 이야기를 말이오?"

"1억엔을 주겠다는 사람이 있다면서요. 무슨 그룹 회장이라면서요?"

"아니, 당신 그 이야기는 어디서 들었어요?"

"나도 귀가 있고, 발이 있는데, 나라고 모르겠어요? 그 땅 시세가 5천만엔인데, 1억엔을 주겠다는 사람이 있으면 당장 없는 땅도 만들어 내야 할 지경인데요. 왜 당신은 멀쩡하게 가지고 있는 땅을 팔지 않겠다고 고집을 피우시는 거죠?"

"여보, 우리 나이에 그 땅 팔아서 뭘 어쩌겠다고 그래요? 그렇다고 팔자를 완전히 고칠만한 돈도 아닌데, 애매하게 판매해서 애매하게 사라지느니 그 땅 그대로 두는 것이 더 좋은 일일 것 같은데…"

"아니 이 양반은 꼭 가게도 히로만 고집하더라니, 나이가 들어도 쓸데없는 고집은 변함이 없으시네요."

"아니, 애매하니까 그러잖아요. 애매하니까!"

"애매하다고 주장하는 사람은 세상에 당신 한 사람뿐인 것 같은데요. 그리고 애매해도 그 가격이면 파는 게 옳은 결정이지요."

아내의 강경한 태도를 보면서 잠시 당황스러움이 몰려왔지만, 그렇다고 내 생각 크게 달라진 것은 없었다.

그런데 바로 뜻밖에 그에게 전화가 왔다.

"안녕하세요. 야나기타상 되십니까?"

"네, 제가 야나기타입니다만, 누구십니까?"

"저는 KMP 그룹의 데넨이라고 합니다. 이렇게 전화로 인사드리게 되어 죄송합니다."

"누구시라구요? 데넨상이시라면, 얼마 전에 그… KMP 그룹의 회장님이시라는…"

"네, 맞습니다. 제가 그 KMP그룹의 데넨입니다. 얼마 전에는 비서실에서 실례가 많았습니다."

"아닙니다. 실례라니요. 천만의 말씀이십니다. 그런데 어쩐 일로 직접 저에게 전화를 다 주셨습니까?"

데넨상의 목소리는 느리고 점잖았지만 꽤 기분 좋은 울림을 가지고 있었고, 듣는 사람으로 하여금 친근감을 느끼도록 만드는 그런 목소리였다.

"혹시 제가 비서실장을 통해서 드린 제안에 대해 긍정적으로 고려를 해보셨는지요?"

"그 부분에 대해서는 제가 비교적 의사가 분명해서 마음을 바꿀 생각이 없습니다."

"좀 더 열린 마음으로 긍정적으로 검토해 주시길 다시 한번 부탁드립니다. 지금이라도 결정해 주시면 내일 중으로 1억엔을 바로 준비하도록 지시하겠습니다. 충분히 적절한 금액이라고 생각이 됩니다만,"

"아, 물론 가격은 충분합니다. 저도 제 땅의 시세 정도는 알고 있으니까요. 다만, 이곳에서 태어나서 이곳에서 자란 저로서는 외지인에게 그것도 대기업에게 땅을 판매하는 것이 썩 내키는 일은 아니라서요. 표현이 과했다면 양해해 주시길 바랍니다."

"아닙니다. 충분히 그러실 수 있습니다. 다만, 오늘이 지나가면 사정이 있어서 이후에는 야나기타상께서 판매 의사가 있으시더라도 시세에 맞춰서 5천만엔을 지급할 수밖에 없답니다. 그래서 혹시 판매 의사가 있으시다면, 오늘 중으로 결정해 주시면 큰 도움이 되겠습니다."

살짝 불쾌한 기분이 아래쪽부터 올라오는 느낌이 들었다. 판매 금액을 올리기 위해서 협상을 하는 것처럼 비춰진 것만 같았다. 조금 더 단호하게 거절할 필요가 있었다.

"가격이 문제는 아니라고 말씀드렸습니다. 이곳 도진마치는 한적한 곳인 데다가 제가 소유하고 있는 땅 인근은 더욱 한적한 곳입니다. KMP그룹 같은 대기업에서 무엇인가 사업을 하기에는 적당해 보이지는 않는다는 것이지요. 실례가 안 된다면 그 땅에서 어떤 사업을 하실 계획이신지 제가 여쭤봐도 될까요?"

데넌 상은 잠시 뜸을 들였다가 느리게 이야기를 이어가기 시작했다.

"저는 젊은 시절 도진마치 인근을 방문하면 항상 야키토리 가게를 찾곤 했죠. 도진마치가 지닌 느린 속도도 좋았고, 음식 맛도 정말 좋았습니다. 젊은 시절이었지만, 나중에 내가 가업을 크게 일구는 날이 온다면, 이런 한적한 곳에서 책을 읽으면서 지냈으면 좋겠다는 생각도 했었답니다. 아직 분주한 일들이 많아서 제가 거주하지는 못하겠지만, 젊은 날 남겨두었던 숙제를 하는 기분이랄까요. 그래서 저는 야나기타상께서 허락만 해주신다면, 그 땅에 작은 도서관을 세우고 싶습니다. 누구나 편안하게 쉬어갈 수 있는 그런 공간을요."

"도서관이요?"

데넨상의 뜻밖의 대답에 나는 잠시 할 말을 잃어버렸다. 도서관이라니, 생각지도 못했던 대답이었고, 생각지도 못했던 이유였다.

"도서관이라니 생각지도 못했던 일입니다. 고민이 되는 일이군요."

"인근에 거주하는 분들에게도 좋은 일이 아니겠습니까? 오히려 도서관을 세운 저에게 감사하기보다 야나기타상에게 감사할지도 모를 일이지요."

옆에서 아내는 계속 나를 채근해 대고 있었고, 수화기 너머로 고요한 데넨상의 숨소리가 내 대답을 기다리고 있었다.

"데넨 상, 좋습니다. 하지만 두 가지 조건이 있습니다. 아니, 세 가지 조건이 있습니다."

"네, 듣고 있습니다. 말씀해 주시면, 야나기타 상의 제안에 대해 검토해 보겠습니다."

"첫째로, 말씀하신 대로 가격은 1억엔으로 하겠습니다. 판매하고 싶지 않은데, 판매해야 할 이유를 찾아야 한다면, 제 아내가 동네에서 듣고 온 소문 때문에 제가 어려운 처지에 놓여있다는 것이겠지요. 그래서 그 소문 속의 가격대로 하는 것이 제 문제를 해결할 수 있는 방법인 것 같습니다."

수화기 너머로 데넨상의 기침 소리와 함께 웃음소리도 들려왔다.

"두 번째와 세 번째는 아주 개인적인 부탁입니다만, 앞으로 도진마치에 오실 일이 있다면, 반드시 히로라는 가게에서만 야키토리를 드셔야 한다는 것과 야키토리를 드실 때는 반드시 꼬치 그대로 드셔야 한다는 조건입니다."

이번에는 좀 더 큰 소리의 웃음소리가 수화기 너머에서 들려왔다.

"야나기타상께서는 전통파시군요. 좋습니다. 아주 어려운 조건이긴 합니다만, 말씀하신 조건 모두 그대로 받아들이도록 하겠습니다."

결국 뜻하지 않게 그 날밤, 나는 충동적이랄지 혹은 고집이랄지 땅을 팔기로 결정했다.

그 이후로 아마도 나는 히로에서 언젠가 데넨 상을 만난 것 같다. 부드러운 표정의 중후한 노신사가 가게 한쪽에서 느긋하게 식사를 하고 있었고, 나는 왜인지 모르게 그가 데넨 상일 거라고 생각했다. 노신사 앞에 놓인 꼬치들은 이미 그 내용물들이 사라져 버리고 만 터라 그가 전통적인 방식으로 식사를 했을지에 대해서는 분명하지 않았지만, 그날 이후로 도서관 공사가 시작되었기 때문이다.

우리는 무엇을 위해
살아가는가?

...
우리는 무엇을 위해 살아가는가?
...

이 질문을 처음 했던 때가 내 기억에는 아마도 고등학교 1학년 때쯤으로 생각이 된다. 어릴 때 어머니를 따라 성당에 나가게 되었고 초등학교때 영세를 받았다. 그 당시에 느꼈던 가톨릭 교회는 지금 같으면 새로 떠오르는 인기 연예인 같은 종교 였다.

신부님을 비롯한 수녀님 그리고 성당 신자들도 좋은 분들이었고 기존의 종교들에 비해서 신선하게 느껴졌다. 하지만 부모님의 권유에 의해 접했던 가톨릭은 나에게 약간 의무감으로 다가왔다. 이러한 종교에 대한 생각은 중학교 3학년 때 병마가 닥치게 되면서 180도 바뀌게 된다. 당시로서 희귀한 연소성 류마티스 관절염을 앓게 된 나는 너무 아파서 고등학교 3년을 거의 매일 죽고 싶다고 느낄 정도로 힘들게 보내게 되었다.

왜 이런 고통을 지금 이 시점에 나에게 주는 지에 대해 신에 대한 원망과 종교에 대한 회의론도 들었다. 지금은 의학의 발전으로 진단도 쉽고 약물 치료로 거의 관해가 이루어진 병이지만 당시에는 진단도 어려웠고 치료도 힘들었다.

결국 나의 장래 희망도 그때까지 정말 한 번도 생각해 보지 못한 의사가 되었고 지금까지 의사로 살고 있다. 나는 아프면서 많은 고민을 했었는데 그 때 처음으로 나는 무엇을 위해 살아가는가에 대한 고민을 했다. 어릴 때 가졌던 종교적 믿음과 투병 이후 내가 공부했던 철학 등을 바탕으로 이후 **내가 내린 삶의 목적은 태어날 때 보다 좀 더 깨끗한 영혼으로 죽는 것**이 되었다.

핵심개념

~ 당신의 삶이 조금이라도 젊을 때 삶의 목적에 대해 생각해보자.
~ 태어날 때 보다 좀 더 깨끗한 영혼으로 살아가는 것이야말로 한번 도전해 보고 싶은 가치이다.

> ...
> 사람은 태어나 자라면서 육체적으로나
> 정신적으로 성숙해진다.
> ...

프랑스 철학자 자크 라캉(Jacques Lacan)의 말대로 '인간은 타자의 욕망을 욕망'하며 본능적으로 돈, 명예, 육체적 쾌락 등을 살면서 추구하게 된다. 하지만 이러한 것들은 아무리 추구해도 한계가 있다. 부처님께서 말씀하신 인간의 비유 중에 잘 알려진 일화가 하나 있다. 간략하게 소개해 보겠다.

"옛날에 한 나그네가 황량한 들판을 정처없이 걷고 있는데 갑자기 사나운 코끼리가 나타나 그에게 달려왔다. 그 나그네는 다행히 우물을 발견했고 덩굴을 타고 우물로 피신해 위기를 모면했다. 그러나 우물 안 벽에는 독사(毒蛇) 네 마리가 혓바닥을 날름거리고 있고, 바닥에는 독룡(毒龍)이 나그네가 떨어지길 기다리며 노려보고 있었다. 나그네가 의지할 곳이라고는 덩굴밖에 없었지만, 그마저 흰 쥐와 검은 쥐가 덩굴을 번갈아갈아먹어 끊어질 위기에 처한다. 그는 크게 놀라고 무서웠다. 그 때 그 나무에서 벌꿀이 다섯 방울씩 그의 입에 떨어져 매우 달콤했다. 나그네는 위기일발의 위험한 처지를 잊고 꿀맛에만 탐욕을 내고 있었다."

이 비유에서 나그네는 인생, 황량한 들판은 무명(無明), 코끼리는 무상(無常)을, 우물은 생사(生死)의 세상을, 한줄기 넝쿨은 우리의 생명을 뜻한다. 그리고 검은 쥐와 흰 쥐는 밤과 낮의 시간을, 독사(毒蛇) 네 마리는 지(地), 수(水),화(火) 풍(風) 사대(四大)를, 꿀 다섯 방울은 재물, 애욕(愛慾), 음식, 명예, 수명의 오욕(五慾)을, 독룡(毒龍)은 죽음을 각각 상징한다.

인간은 이렇게 불쌍한 존재이다. **유한한 시간 속에 주어진 짧은 인생을 살면서도 물질적 욕망을 끊지 못하며 지내는 어리석은 존재이기도 하다. 그러면 영원히 존재하는 것은 무엇일까? 나는 인간의 마음이라고 생각한다.** 인간의 마음이야말로 유한한 육체에 비해 자신이 영원히 가져갈 수 있는 것이다. 또한 인간 세상 모든 일은 마음에 달려있다고도 생각한다. 하지만 일부는 우리의 마음으로 해결할 수 없는 상황도 있다.

예를 들어, 우리의 노력이나 태도와는 무관하게 지구온난화, 천재지변, 질병 등의 문제들은 우리의 마음의 힘으로 완전히 해결할 수는 없는 문제이다. 따라서, '모든 것은 마음에 달려있다'는 말은 우리가 통제할 수 있는 일부 상황에서는 일정한 영향력을 가지지만, 그렇지 않은 상황에서는 적용되지 않을 수 있다.

사람은 태어나 자라면서 육체적으로나
정신적으로 성숙해진다.

그렇지만, 마음을 기다듬고 노력하는 것은 언제나 긍정적인 변화를 가져올 수 있으며, 이를 통해 어려움을 극복할 수 있는 큰 힘을 가질 수 있다고 생각한다.

핵심개념

~ 인간에게 영원한 것은 자신의 마음밖에 없다.

~ 세상에 많은 것은 자신의 마음에 달려있다.

우리는 무엇을 위해 살아가는가?

일체유심조

불교에서는 이러한 생각을 일체유심조(一切有心調)라고
한다. **일체유심(一切有心)이란 불교에서 말하는
모든 존재가 마음에서 비롯된 것**이라는 개념이다. 일체유심조는 이
개념을 바탕으로 모든 존재가 마음에 의해 어떻게든 영향을 받으며
그 영향이 그들의 삶을 결정한다는 것을 말한다.

나는 이 개념에 대해 몇 가지 생각을 가지고 있는데 첫째,
일체유심조는 인간의 삶을 이해하고 해석하는 데 매우 유용하다고
본다. 모든 존재가 마음에서 비롯된 것이므로, 우리의 행동과 태도가
우리의 삶에 직접적인 영향을 미친다는 것은 매우 중요한 것이다. 이
개념은 자기 책임감과 자기 성찰을 장려하며, 이를 통해 개인적인
성장과 타인과의 관계 개선 등 다양한 영역에서 도움을 줄 수 있다.

둘째, 일체유심조는 모든 존재가 서로 연결되어 있다는 것을 강조한다. 우리의 행동과 태도가 다른 존재들과 상호작용하여 그들의 삶을 영향을 미친다는 것을 의미한다. 따라서, 일체유심조는 자아 중심적인 사고를 극복하고, 우리의 삶을 보다 넓은 관점에서 바라볼 수 있도록 도와준다.

셋째, 일체유심조는 상호존중과 인간애를 장려한다. 다른 존재들이 우리와 동등하게 마음에서 비롯된 것이므로, 그들을 존중하고 배려하는 태도가 필요하다는 것을 강조한다. 이를 통해 우리는 사회적으로 삶을 보다 풍요롭게 살 수 있다. 결과적으로 일체유심조는 우리의 삶과 타인과의 관계를 이해하고 개선하는 데 매우 유용한 개념이다. 이를 통해 우리는 보다 자아 성찰적이고 타인과의 연결성을 높이며 사회적으로 보다 풍요로운 삶을 살아갈 수 있다고 생각한다.

핵심개념

~ 일체유심조는 인생을 관통하는 개념이다.

···
노력하는 삶
···

생을 사는 이유가 마음의 수양과 정진에 있다고 한다면 어떻게 하면 그 목적에 도달할 수가 있을까? 개인적으로 6가지 실천 방법을 생각하며 실천하고 있다.

첫째는 **노력하는 삶**이다. 노력은 우리가 목표를 이루기 위해 끊임없이 노력하는 태도를 말한다. 이는 우리의 인내력과 인내심을 강화 시키며 목표를 달성하는 과정에서 성장할 수 있는 기회를 제공한다. 내가 졸업한 고등학교의 교훈이 '성실, 노력, 봉사'였다. 학교 다닐 때 부르던 교가에 이 구절이 있어서 고등학교를 졸업한 지 30년이 지난 지금까지도 기억한다. 고등학교 다닐 때는 교훈으로서 정말로 흔한 말이라고 생각했는데 지금 생각해 보니 정말 멋진 교훈이다.

 살아보니 성실하고 노력하지 않고서는 마음이 수양될 수가 없고 절대로 성공할 수 없다고 나는 느꼈다. 또한 내가 살아오면서 보았던 성공하고 인격적으로 성숙했던 사람들의 대부분은 노력이라는 덕목을 가졌던 사람이었다. 이는 인간이 가져야 할 가장 기본적인 가치라고 생각한다. '불광불급(不狂不及)'이라는 말이 있지 않은가? **정말 미치도록 노력을 한다면 이루지 못할 일은 없다고 생각한다.**

핵심개념

~ 6가지 실천 방법 중에 첫 번째는 노력이다.

~ 정말 미치도록 노력해보자

여름휴가

지금까지 병원을 운영하면서 딱 한 번 여름휴가를
갔다. 큰 애가 고등학교 1학년 때인 2014년
여름으로 기억한다. 나의 여름휴가는 병원에 있는 것이다. 왜냐하면
여름에 사실 병원만큼 시원한 곳이 없고 내가 선천적으로 무더운데
돌아다니는 것을 싫어하기 때문이다. 내 나름대로는 합리적으로
생각한 것이다. 다른 사람들이 멋진 휴가 여행 가는 것이 부럽다거나
그것을 질투하지는 않는다. 개인의 취향이라고 생각한다.

여름날 오후에는 무더워서 환자들이 비교적 적다. 진료실 안에서
여러가지 업무를 처리하는데 지금 이렇게 글을 쓰는 것도 그러한
것들 중에 하나이다. 그래서 나의 경우에는 여름에 다양한 사업
구상을 하고 책도 많이 읽게 된다.

 휴가나 여가 시간에 대해서도 자기 나름의 생각을 가지고 있어야 한다. 특히 우리나라 사람들은 남들의 시선을 의식하는 경향이 많은데 이러한 것들은 자신의 삶을 살지 못해 후에 항상 허탈한 기분이 든다. 휴가도 자신이 편한 대로 즐기자. **여행 갈 사람은 여행가고 시원한 사무실에서 일하고 싶은 사람은 일하면 된다.**

핵심개념

~ 휴가도 자신의 생각대로 즐겨보자

아침출근

아침에 항상 제일 일찍 병원에 출근한다. 체질적으로 아침형 인간이라서 가능한 것 같다. 어떤 책에서 **새벽에 출근하는 차들 중에 고급 차가 많고 새벽 도서관 주차장에 고급 차가 많다**는 말을 본 적이 있다. 그만큼 성공한 사람들은 아침을 일찍 시작한다.

일찍 출근한 후 커피를 한잔하고 메일을 확인하며 주로 오디오북으로 책을 듣는다. 책을 듣는다는 표현이 좋다. 책을 듣는 이 시간이야말로 마음이 가장 평화롭다. 이러한 새벽 시간은 충전의 시간이다. 지금 이 글도 여름날 일요일 새벽에 조용한 내 방에서 커피 한잔하면서 쓰고 있다. 이런 시간이 매일 조금씩 누적되면 그것들이 자신의 자산이 될 것이다. 뭐든지 매일 꾸준히 하는 것이 중요하다. 작은 물방울이 떨어져 바위를 뚫을 수 있다고 생각한다.

핵심개념

~ 직장에서 가장 일찍 출근해서 책을 한 번 들어보자.

~ 매일 꾸준히 하면 물방울도 바위를 뚫을 수 있다.

두 번째 점, 아즈미(あず末)

내 이름 '아즈미'는 나가노현 아즈미노시(安曇野市)에서 따온 것으로 젊은 시절 아즈미노시를 인상적인 장소로 기억하는 아버지의 의견에 따라 지어진 것이었다. 일찍 세상을 떠나신 탓에 내게는 아버지에 대한 뚜렷한 기억은 남아 있지 않지만, 나는 아버지가 지어준 나의 이름을 통해 아버지를 기억한다. 이 기억은 너무 불완전해서 아버지가 남겨둔 흔적이 내 삶의 울타리가 되기에는 부족한 것처럼 여겨왔다.

삶은 불완전했지만 수학(數學)은 완전했다. 아마도 내가 수학에 매료된 것은 그 완전한 아름다움에 이유가 있었는지도 모른다. 사람들은 거짓말을 하지만 숫자는 거짓말을 하지 않으며, 사람이 만들어 낸 모든 것이 불완전해서 아름답지 않지만 원주율은 무작위성을 가진 것처럼 보이지만 동시에 아름답다.

 무작위성을 가졌지만 그래도 안정적이었다고 믿었던 내 삶에 균열이 일어나기 시작했던 것은 숫자 밖의 세계에서였다. 물론 언제나 그래왔듯이 사람이 문제였다. 숫자 외의 삶에 대해서는 크게 관심이 없었지만, 아마도 그랬던 탓인지 동네에서 작게 시작했던 수학학원은 이제는 일대에서는 모르는 사람이 없을 만큼 커져 있었다.

낡은 5층 건물 구석에서 시작했던 수학학원은 이제는 1층을 제외하고 전 층을 사용해야 할 정도로 학생들로 붐비게 되었고, 인근에는 또 다른 수학학원을 비롯한 여러 입시학원들이 생겨나기 시작하더니 일대가 학생들로 붐비는 거리가 되고 말았다. 이 모든 일을 계산하고 시작했던 것도 아니지만 기대하지도 않았던 소박한 출발이었다. 경영이나 관리에는 큰 관심이 없었던 나는 믿을만한 관리자를 통해 사업을 관리하도록 했고, 풍족한 수입으로 인해 수학의 세계로 더 깊이 빠져들 수 있었다. 그렇게 평범했던 하루하루를 보내던 어느 날 건물주인이 약속도 없이 나를 찾아왔다.

 불길함은 언제나 시각보다는 청각을 통해서 증폭되기 마련이다. 눈으로 무엇인가를 볼 수 있다는 점은 충분히 마음의 경계선을 세울 수 있는 시간적 여유를 주기 마련이지만, 갑자기 들려오는 소리에 대해서는 충분히 마음의 준비를 할 시간도 없이 깜짝 놀라게 되기 때문이다. 나에게는 건물주인의 노크 소리가 그랬다.

똑똑. 똑똑.

난소롭지민 갑지기 들려온 노크 소리에 가벼운 긴장감이 몰려왔다.

"네, 안에 있습니다. 들어오세요."

"선생님(先生)、안녕하세요(こんにちは). 유타카(ゆたか)입니다. 잠시 실례하겠습니다."

"유타카상, 안녕하세요. 여기까지 어쩐 일이세요?"

유타카상은 5층 건물의 주인으로 평소에는 말이 없는 느긋한 성격의 소유자였다.

"아즈미상, 특별한 일은 아닙니다."

특별한 일이 아닌데 약속도 없이 찾아올 유타카상이 아니었기 때문에 특별한 일이 아니라는 그의 말이 도리어 다음에 나올 말의 특별함을 짐작하게 했다.

"계약 기간 만료가 다가오고 있다는 사실은 알고 계시죠?"

"네, 알고 있습니다. 특별한 사항이 없다면 재계약이 진행되는 것으로 전달받았습니다만,"

"얼마 전까지는 특별한 일이 없었습니다만, 최근 귀국한 제 아들 녀석이 이 건물에서 해보고 싶다는 사업이 있어서요."

"네? 아드님께서 여기서 사업을 하시겠다구요?"

"네. 그렇습니다. 저는 잘 모르겠습니다만 무슨 학원을 하고 싶다고 하더군요."

"유타카상도 아시다시피 이 거리에 처음 생긴 학원이 저희 학원입니다. 그리고 저희 학원 때문에 이 주변 일대가 학원가로 바뀌었는데 이제 와서 나가라고 하시면 저희는 어떻게 해야 할지요?"

"그 부분에 대해서는 죄송하게 생각하고 있습니다. 다만, 저희도 사정이 있어서 어쩔 수가 없네요. 모쪼록 아즈미상께서 좋은 결정을 내려주시길 바랄 뿐입니다."

"조금 혼란스러워서요. 관리자와 함께 의논을 좀 해보고 말씀드려도 될까요? 차도 한잔 대접해 드리지 못해서 죄송하지만, 지금 좀 당황스러워서요. 조금 시간을 주시면 감사하겠습니다."

"물론이지요. 갑자기 말씀드려 오히려 저희가 죄송합니다. 좋은 답변 기다리도록 하겠습니다."

'좋은 답변'이라는 단어가 머릿속을 맴돌았다. 마치 답이 정해져 있는 수학 문제처럼 이 문제의 답은 이미 정해져 있었다. 게다가 이 문제는 수학처럼 답을 찾아가는 과정이 불필요하게 보일 만큼 폭력적인 정답을 요구하고 있었다. '좋은 답변'은 아마도 "그렇게 하겠다"라는 답변일 것이라고 나는 생각했다.

'부동산법인 秀'를 찾게 된 것은 얼마 후의 일이었다. 어차피 정답이 정해져 있었던 문제였기 때문에 오래 고민할 필요는 없었다. 학원 운영에 커다란 욕심이 있었던 것은 아니었지만 이제 와서 다른 일을 한다는 것도 좀처럼 상상하기 어려웠기 때문에 적당한 장소를 찾아보아야만 했다.

우연히 찾게 된 '부동사범이 茶'는 고즈넉한 위치에 자리 잡고 있었다. 그리고 그곳에서 데넨상을 처음으로 만나게 되었다. 데넨상은 말끔한 차림의 부드러운 미소를 가진 사람이었고, 은은하게 풍겨오는 향수 냄새가 비교적 잘 어울리는 사람이었다.

데넨상은 부드럽지만 일의 방향과 자신의 의견을 명확하게 제시할 줄 아는 사람이었고, 잘 풀리지 않는 문제에 대해 해법을 제시하는 능력이 탁월했다. 사업가로서 가진 식견이 자연스럽게 흘러나오는 기질과 태도를 갖추고 있었다. 그의 도움 덕분에 문제들을 하나둘씩 해결해 나갈 수 있었고, 나는 나만의 문제에 집중할 수 있는 공간과 시간을 갖게 되었다. 문제가 해결된 후에도 나는 가끔 茶에 들려 차를 마시곤 했었는데, 그럴 때마다 데넨 상은 언제나 사람 좋은 웃음으로 반갑게 맞이해 주곤 했다.

"데넨 상, 지난번 소개해 준 인테리어 업체는 정말 감사했습니다. 깔끔하게 일 처리를 잘할 뿐만 아니라 단아한 디자인이 아주 마음에 들었습니다."

"대표님의 마음에 드셨다니 정말 다행입니다. 겐메이상은 건물이 놓인 거리와 그 거리를 지나다니는 사람들까지도 고려해서 디자인 하나하나를 섬세하게 조율하는 정말 탁월한 장인입니다."

"네, 정말 그렇더군요. 많은 도움을 받을 수 있었습니다."

"도움이 되었다니 저도 매우 기분이 좋습니다."

"예전부터 궁금한 것이 하나 있었는데, 질문을 하나 드려도 될까요?"

"네, 편하게 물어보시지요. 제가 답해드릴 수 있는 문제라면 성심성의껏 답변해 드리겠습니다."

"지난번 저희 사무실 개업식 때 아주 멋진 꽃다발도 보내주셔서 매우 감사하게 받았습니다. 제가 궁금한 것은 지나치게 임차인에게 많은 배려를 해주시는 것 같아서요. 수수료나 이런 부분도 그렇지만, 인테리어업체를 소개해 주시는 것까지야 가능한 일입니다만, 현장까지 수고스럽게 방문하셔서 여러 가지 아이디어도 주시고 좋은 이야기를 해주셔서 저는 솔직히 처음에는 의심을 하기까지 했습니다."

"의심이라고 하시면…"

"어떤 의도를 가지고 잘해주시는 것인가 하는 생각이었지요. 제가 사람은 잘 모릅니다만, 특별한 이유가 없는데도 웃으면서 다가오는 사람은 반드시 문제를 일으킨다는 생각을 가지고 있어서요."

"충분히 그러실 수 있습니다."

"그런데 지금까지도 별일이 없는 것을 보면, 저를 속이시거나 어떤 경제적인 이익을 위해서 무엇인가를 숨기고 계신 것 같지도 않아서요. 데넨상께서는 어떻게 그렇게 사람들에게 호의를 베풀면서 지내실 수 있는지 그 비결이 궁금합니다."

데넨 상은 그 순간 아주 부드러운 표정을 지었다. 한편으로는 좀 짓궂어 보이는 표정도 엿보였지만 말이다.

"아즈미상이 지금까지 저를 그렇게 생각하셨다니 조금 서운합니다. 하하"

부끄러움에 살짝 얼굴이 달아오는 것이 느껴졌다.

"어떤 비난의 의도가 있는 질문은 아닙니다. 불쾌하셨다면 죄송합니다."

"하하, 아즈미상의 말씀 잘 이해하고 있습니다. 하지만 특별한 이유나 의도가 있다기보다는 살다 보니 그렇게 되었다고나 할까요. 저도 여러 사업을 거치면서 처음 시작할 때는 누구나 그렇듯이 임차인으로 시작했으니까요. 현재 저희 건물 앞에 하얏트 호텔이나 트럼프 빌딩이 있지만, 저는 지금 제가 서 있는 자리보다 더 높은 곳을 바라보는 것보다는 낮은 곳을 바라보는 삶이 행복하다고 생각합니다. 여기서 말하는 낮은 곳이란 이미 지나온 삶을 의미하는 것입니다. 누군가를 낮잡아 말씀드리는 것은 아니니 오해는 말아주시기 바랍니다."

"물론 지금도 성공하셨지만, 더 큰 기업을 일구고 싶은 욕심이 없으시다는 말씀이신가요?"

"사람이라면 누구나 욕심이 있지요. 저라고 왜 없겠습니까? 다만, 저는 제 인생의 마지막이 쓸쓸하지는 않았으면 좋겠다는 생각을 많이 합니다. 죽은 이후에야 죽은 사람 본인에게 무엇이 남겠습니까만은, 많은 사람들이 저를 좋은 사람으로 기억해 주고 추억해 준다면 그것이야말로 자식들에게 남겨줄 수 있는 가장 큰 자산이자 유산이 아닐까 싶습니다."

"모두가 비슷한 생각을 합니다만, 대부분의 사람들은 쓸쓸하게 남겨질 내일의 염려보다는 오늘 하루를 치열하게 살아가는 것 같아요. 물론 저도 그렇구요. 그러다 보니 주변 사람들을 돌아볼 여유가 없다고나 할까요?"

"저도 물론 그런 시절이 있었지요. 나이가 들면 좋은 점이 조금은 여유로워진다는 것일 겁니다. 내 시간은 빠르게 흐르지만 주변을 좀 느리게 볼 수 있는 여유랄까요? 좋은 관계를 맺고 살아가다 보면, 그분이 또 다른 좋은 사람을 소개해 주는 경우도 많습니다. 물론 부동산 사업에서도 그렇습니다만, 사업을 떠나서 좋은 사람이 또 다른 좋은 사람을 연결해 줍니다. 만일 저에게 시간이 무한하게 주어진다면, 좋은 사람에게 좋은 사람을 소개받고, 그 좋은 사람이 또 다른 좋은 사람을 소개해 주는 일을 반복하다 보면, 아마 이 세상의 모든 좋은 사람들을 만날 수 있게 되겠지요. 그래서 저는 일단 제가 좋은 사람이 되기 위해 노력한답니다."

"좋은 사람이 또 다른 좋은 사람을 부른다… 그렇다면 좋은 사람인 데넨상을 알게 된 저는 좋은 사람인 건가요?"

데넨상은 친절하기도 했지만 아주 작은 유머 감각도 지닌 그런 사람이었다. 물론 크게 호탕하게 웃을만한 어떤 흥미로운 이야기를 들려주는 것은 아니었지만, 항상 지나고 나면 피식하고 웃음이 나오는 그런 소소하고 잔잔한 유머감각이 나는 좋았다.

"데넨 상 오늘도 좋은 말씀 많이 듣고 잘 쉬다가 갑니다. 이 앞을 지나가다 보면, 항상 그냥 지나치지 못하고 잠시 머물다 가게 되네요."

"무슨 말씀을요. 저야말로 행복한 시간이었습니다."

문제는 언제나 수학의 세계 밖에서 사람들 사이에서 일어나지만, 결국 그렇게 일어난 문제 역시 사람을 통해서만 해결될 수 있는 법이다. 아버지는 내게 울타리는 되어주지 않으셨지만, 아즈미라는 이름을 남겨주셨고, 적어도 좋은 사람을 만날 수 있는 사람으로 살아갈 수 있는 평범한 시간을 남겨주셨다. 그 시간에 점을 찍어 선분으로 연결하고, 도형을 만들어 삶을 구축해 나가는 것, 그리고 그 과정에서 만나는 문제의 해법을 찾아 나가는 것, 그것은 언제나 흥미로운 일이다.

이런 생각과 상념에 빠져있던 나는, 데넨상의 표정과 말이 떠올라 피식 웃고 말았다.

"좋은 사람은 또 다른 좋은 사람을 부른다라니… 자기 스스로를 좋은 사람이라고 말할 수 있는 것이 자신감일지 유머 감각인지 모르겠네."

나는 미뤄두었던 수학 문제를 꺼내어 다시 풀기 시작했다. 편안하고 아늑한 나의 공간에서…

겸손한 태도

6 가지 실천 방법 중에 두 번째는 **겸손한 태도**이다.

겸손은 우리의 자아를 내려놓고 다른 사람들을 존중하며, 겸허한 태도를 가지는 것을 의미한다. 이는 우리의 이기심과 자만심을 줄이고, 타인과의 관계를 개선하는 데 도움이 된다. 개인적으로는 겸손이 6가지 실천 방법 중에서 가장 중요하다고 생각한다.

평소에 나는 '**겸손은 부적(符籍)이고 감사는 복권(福券)이다**'라고 생각하며 살아왔다. 겸손한 사람은 어떤 불행이 오더라도 큰 손해는 피할 수 있다는 말이다. 또한 겸손이야말로 다음에 언급되는 감사하는 태도나 반성하는 삶의 기본이 되기도 한다. 즉, 삶을 살아가면서 겸손한 마음을 가지지 못하면 감사하는 마음을 가질 수가 없다. 우리는 항상 겸손해야 된다.

핵심개념

~ 6가지 실천 방법 중에 두 번째는 겸손이다.

~ 겸손은 부적이고 감사는 복권이다.

시험능력

우리 사회는 언제부터 단순히 시험치는 능력이 뛰어난 좋은 학력이나 각종 고시의 자격증을 그 사람의 능력으로 생각한다. 하지만 나는 인간의 능력을 이렇게 단순한 시험의 결과로 단정 짓는 것에 대해 매우 걱정스럽다. 일례로 우리가 주위에서 보았던 각종 시험 능력이 좋은 사람들의 삶의 결과는 어떠한가? 인격이 결여된 채 시험 능력만 가지고 뽑은 리더들의 말로는 어떠한가? 각종 성추행 및 부정비리는 얼마나 많은가?

나는 인간의 자질을 크게 3가지로 본다. **첫째는 인격, 둘째는 용기, 셋째는 능력이다.** 인격, 용기, 능력 중에 가장 중요한 순서대로 이야기하면 인격, 용기, 능력순이다. 즉 인격이 훌륭한 사람이 리더가 되어야 한다는 이야기다. 우리 사회가 학벌이나 연공 서열 그리고 개인적 능력을 우선시 할 수도 있다. 이러한 사람들은 그냥 그 직업에 상응하는 적당한 보수를 주면 된다는게 나의 생각이다. 하지만 조그만 조직의 리더나 나아가 한 나라의 리더라면 능력을 바탕으로 용기와 인격이 더해진 사람이어야 한다.

작금의 소위 사회적 리더라는 사람들의 면면을 보면 그저 한 숨만 나올 뿐이다. 따라서 나는 거만한 고위 관료나 사회적으로 유명한 정치인, 상속 2세 기업가, 자기의 유명세를 SNS나 방송을 통해 파는 셀럽들보다 자식들을 훌륭히 키우고 마음이 겸손한 동네의 할머니나 어릴 적 가난을 극복하고 스스로 사업을 일구어 자기 재산을 사회에 기부하는 기업가 그리고 큰 병을 극복하고 자신의 분야에서 전문가가 되어 사회를 위해 봉사하는 사람을 훨씬 더 존경한다.

또한 평소 사람을 바라보는 기준도 이 3가지를 기준으로 본다. 우리 국민들도 민주주의 사회에서 개인적인 이해 타산을 떠나 리더를 뽑을 때 정말 신중해야 하며 꼭 리더를 뽑을 때 뿐만 아니라 인간을 바라보는 기준도 인격, 용기, 능력 순으로 가졌으면 한다. 그 인격의 가장 바탕에 겸손이 있다.

핵심개념

~ 인격, 용기, 능력 중에 가장 중요한 것은 인격이다.
~ 인격의 바탕에 겸손이 있음을 생각하자.

감사하는 삶

6 가지 실천 방법 중에 셋째는 **감사하는 삶**이다.

감사는 우리가 가진 모든 것들에 대해 감사하고, 고맙게 생각하는 태도를 말한다. 이는 우리의 긍정적인 태도와 행동을 유도하며, 우리의 마음을 차분하고 안정된 상태로 유지하는 데 도움이 된다. 우리 어머니는 내가 어릴 때부터 항상 말끝마다 '감사, 감사'라는 말을 하고 사셨다. 어머니가 성당에 다니면서부터 그랬던 것 같은데 아마도 언제부터인지는 잘 모르겠지만 어머니를 생각하면 항상 이 말이 떠오른다. 그런데 내가 나이를 들어가면서 보니 이 말이 정말 좋은 말이고 앞에서도 이야기 했지만 복권과 같은 말이라는 생각이 들었다. 그래서 나도 매일 아침에 일어나면 "감사, 감사"라는 말을 되뇌인다. 그런데 신기하게도 이 말을 하면 기분이 좋아지고 매사에 정말 감사하게 된다는 것이다.

감사라는 것이 좋은 일이 생길 때에만 감사할 수 있는 것이 아니다. 가만히 생각해보면 우리가 좋은 일이 생겼을 때 꼭 감사하는가하고 가만히 생각해보면 그렇지 않다. 그 일이 내가 열심히 해서 생긴 당연한 일이라 생각하지 감사한다는 말이 동시에 튀어나오지는 않는다. 하물며 나쁜 일이 발생했을 때는 더욱 힘들다.

살아온 인생을 돌이켜보면 진짜로 감사한 일은 나를 가장 힘들게 한 일이었다. 그래서 감사라는 말을 반복하는 것이 어떻게 보면 대단히 쉬운 복을 받는 법이라고 생각한다. 진부한 말일지는 몰라도 지구상에 인간으로서 이렇게 오늘날까지 태어나서 살아온 것 자체가 어찌보면 정말 감사한 일이다.

핵심개념

~ 6가지 실천 방법 중에 셋째는 감사하는 삶이다.
~ 자신에게 가장 힘들었던 일이 가장 감사한 일인 경우가 정말 많다.

개인의 행복

개인의 행복에서도 제일 중요한 것은 감사하는 마음이라고 생각한다. 어떤 심리학자 말에 따르면 '인간이 가장 행복한 때는 자신이 좋아하는 사람들과 함께 밥을 먹으면서 대화하는 것'이라고 하는데 나는 이것조차도 개인이 감사하는 마음이 없다면 그 행복이 반감될 것이라고 생각한다.

병원은 감사하기에 조건이 아주 좋은 환경이다. 아픈 환자들을 진료하다 보면 역설적이게도 그 의사는 매일 감사하게 된다. 또한 나 자신도 어릴 때 아팠기에 지금도 매일 아침 일어났을 때 아프지 않은 것과 오늘 하루 이렇게 삶을 주심에 대해 진심으로 하나님께 감사한다.

핵심개념

~ 개인의 행복에 있어서도 감사는 필수적이다.

~ 우주의 피조물로 이 세상에 태어난 것 자체가 축복이다.

국제구호단체

개인적으로 컴패션(Compassion)이라는 국제구호단체를 통해 아프리카 어린이들을 후원하고 있는데 이 아이들이 후원자들에게 정기적으로 감사의 편지를 쓴다.

편지에서 아이들의 바람은 자신이 공부를 열심히 해서 좋은 직장을 얻어 가족들에게 도움이 되고 싶다는 내용들이 많다. 이런 편지들을 읽을 때마다 우리나라 50년, 60년대가 생각난다. 그 시절을 살아보지는 못했지만 영상이나 부모님께 들어본 바로는 지금 내가 후원하고 있는 나라들의 상황이 당시의 한국 상황이랑 유사하기 때문이다. 우리 부모님 세대들이 유독 가족에 대한 애착이 많은 것도 이러한 경제적 환경에 기인한 부분도 있을 것이다.

'헬조선'이라고 하지만 지금의 대한민국은 선진국이다. 계층간에 갈등도 있고 경제성장률 저하에 따른 상대적 빈곤감도 있지만 개인이 누리는 상황만을 놓고 본다면 지금 우리의 현실에 대해 정말 감사해야 한다고 생각한다.

핵심개념

~ 감사하는 마음을 가지려면 좀 크게 세상을 바라보자
~ 전 세계적으로 보면 대한민국은 선진국이다.

세 번째 점, 고노스케

토다이(東大とうだい)는 2년의 전기과정과 2년의 후기과정으로 이루어져 있는데, 10개의 학부는 상당한 독립성을 가지고 있다. 문학부는 학과 내부에서도 세부 전수 과정이 별도로 존재하지만, 법학부의 경우 학과를 나누지 않고 코스로 이루어져 있다.

문과1류에는 법학부 진학이 가능한 정원이 많이 할당되어 있기 때문에 문과1류에 입학하여 법학부에 진학하는 것이 일반적이다. 물론 학점이 최하위권이라면 법학부 진학은 어렵다고 보아야겠지만, 다행히도 나는 꽤 준수한 성적을 유지했고, 법학부에 진학할 수 있었다. 물론 카이세이고나 쓰쿠바대학 코마바(筑駒)부속고등학교 출신이 아닌 나다(灘)고등학교 출신인 내가 이과3류가 아닌 문과1류로 진학한 데는 아버지의 영향이 컸다.

나는 세상의 모든 아들은 아버지의 아들이라고 생각한다. 어머니의 아들일 수도 있겠지만, 내 경우에 아들은 항상 아버지의 아들 쪽에 가까웠다. 누구나 아버지의 아들일 것이라고 생각하지만 내 경험에 의하면 항상 그런 것은 아니었다.

토다이 법학부에는 꽤나 괴짜들이 많이 모여있다. 물론 공부를 잘하고 똑똑한 것은 기본적으로 비슷비슷하지만, 개인이 가진 능력이 공부 쪽으로만 쏠려있는 친구들도 꽤 많아서 아주 상식적인 수준의 일들에서도 때로 문제가 발생하곤 했다. 한 번은 간사이 사투리가 비교적 심한 도모루(ともる) 군과 함께 토론 동아리 캠프에 참여했다가 깜짝 놀란 적이 있었다.

늦은 밤까지 계속된 토론에 지쳐 잠시 휴식 시간을 갖고 있을 때였다. 대부분 커피를 마시거나 맥주 한잔을 마시면서 가벼운 대화를 나누고 있을 때, 도모루군은 샤워를 한 후, 속옷 차림으로 친구들 사이에 나타났다. 토다이에 여학생이 많은 것은 아니었지만, 그래도 여학생들이 있는 자리였기 때문에 모두 깜짝 놀라고 말았다. 나는 겉옷을 벗어 도모루군에게 넘겨주며 물었다.

"도모루 군, 여학생들도 있는데 이게 무슨 짓이야?"

"고노스케 군, 뭐 어떻다고 그래? 흰색 속옷이나 수영복이나 뭐가 다를 것이 있다고… 사물이란 결국 이름 붙이기 나름이 아닌가? 이상한 시선으로 보는 것이 문제이지 내 행동이 문제인 것은 아니란 말이지."

적절하지 않은 행동에 관한 문제를 사물에 붙이는 이름까지 들먹여가면서 속옷 차림새를 뻔뻔하게 정당화하는 도모루군을 보면서 기가 찼다. 똑똑하고 비범한 인간들은 어딘지 모를 결여된 부분을 하나씩은 가지고 있는 것이 분명하다는 생각이 들었다. 물론 도모루 군은 주변의 성화에 못 이겨 결국 바지를 입었다.

"도모루 군, 사회에서 살아가기 위해서는 상식이라는 기준을 잘 지켜야 하는 것이 아닐까?"

"노! 노! 노! 고노스케 군! 상식이란 사람들의 선입견이 모여 만들어진 생각의 집합체에 불과하지. 꼭 그래야 할 필요는 없지."

"'우리가 배워야 할 모든 것은 유치원에서 이미 다 배웠다'라는 긴 제목의 책이 있는데, 도모루 군이 다닌 유치원은 어디인지 참 궁금하네. 이런 건 기본적인 도덕에 속하는 문제라구."

"유치원과 도덕이라니 고노스케 군은 좋은 유치원을 다닌 모양이네."

음흉한 웃음에 장난기 가득한 표정을 지으면서 도모루 군은 말을 이어갔다.

"유치원의 문제라기보다는 아버지와의 문제가 아닐까? 나는 내 자신에게 어떤 부분이 결여되어 있는 것 같다는 인식은 있지만, 그것이 유치원의 문제라고는 생각하지 않아. 오히려 심리학적인 관점에서 본다면, 아버지와의 관계에 원인이 있을 것이고, 난 이 시대를 아버지가 부재하는 시대라고 생각하니까."

"도모루 군은 아버지와 관계가 별로 좋지 않았다는 이야기야?"

"꼭 그렇지만은 않지만 그렇다고 좋았다고도 할 수 없지. 아버지가 아버지답게 무뚝뚝한 것이 별로 문제가 아니듯이 아들이 살갑지 않은 것도 별로 문제가 아니지 않을까?"

나도 도모루 군도 아들이 아버지의 아들이라는 사실에 대해서는 생각이 같았지만, 그 아버지를 바라보는 느낌이 사뭇 다르다는 사실을 알게 되었다. 그런데 그것은 도모루 군만의 문제는 아니었다.

"도모루 군, 나는 아버지랑 사이가 좋은데…"

옆에서 듣고 있던 카오루 상이 끼어들었지만 도모루 군의 태도는 매우 굳건했다.

"카오루 상, 그건 카오루 상이 아들이 아니기 때문이야."

"도모루 군, 지금 남녀 차별하는 거야?"

"남녀 차별이 아니라 아버지와 아들의 이야기를 하는 거야. 아버지와 아들 사이에는 특별한 이야기가 있다구. 내가 증명해 볼까? 하이세 군"

도모루 군은 적당한 거리에 떨어져 이 흥미로운 대화를 관찰하고 있던 하이세 군에게 갑자기 말을 걸었다. 그는 자신에게 갑자기 이목이 쏠리자 어깨를 으쓱하면서도 이 흥미로운 대화를 거부하지는 않았다.

"하이세 군은 아버지와의 관계가 어때?"

"음, 글쎄. 생각해 본 적은 없는데… 아버지와는 몇 마디 말을 나눈 적도 별로 없어서 말이야. 어린 시절부터 밥 먹는 식탁에만 함께 앉아 있었지 식사를 마치고 나면 아버지는 거실에서 책을 읽으시고, 나는 내 방에서 책을 읽는 것이 우리 집 불문율처럼 이어진 터라 아버지와 살가운 대화를 나눈 기억은 없는 것 같아."

의기양양한 표정으로 도모루 군은 나와 카오루 상을 보면서 짓궂은 미소를 지어 보였다.

"자, 증명 끝. 아마 다른 친구들에게 물어보아도 결과는 비슷할걸. 도모루 군은 아버지와 친하지 않다. 하이세 군은 아버지와 친하지 않다. 도모루 군과 하이세 군은 모두 아들이다. 따라서 아들은 아버지와 친하지 않다. 이건 귀납법적인 논리라구. 통계가 보여주는 결과라고나 할까!"

도모루 군과의 짧은 토론은 어처구니없는 결론으로 끝났지만, 나는 꽤 많은 친구들이 아버지와 상당한 거리감을 느끼고 있다는 사실을 알게 되었다. 하지만 내 경우에는 아버지와의 거리감이 그다지 멀지 않았기 때문에 오히려 내가 이상한 것인가 하는 고민을 잠시 했던 것 같다.

내가 기억하는 아버지는 언제나 바쁜 사람이었지만, 가족을 위한 시간을 내는 것에 대해 인색한 사람이 아니었다. 오히려 가족을 위해서 더 많은 시간을 사용하지 못하는 것에 대해 미안해하는 그런 사람이었다.

가고시마현 사쿠라지마(桜島 / さくらじま)에서 아버지와 함께 했던 트레킹 여행은 잊지 못할 추억으로 남아 있다. 가끔 화산 분출로 사람들에게 두려움을 주지만 다른 한편으로 사쿠라지마는 가고시마 사람들에게는 편안한 어머니와 같은 존재라는 느낌이 들었다.

아버지와 자전거를 타고 여행하면서 많은 이야기를 나누었지만, 어떤 이야기를 나누었는지는 사실 기억이 나지 않는다. 그저 시원하게 불어왔던 기분이 좋았던 바람과 사람들의 웃음소리, 아버지의 울림이 좋은 목소리에 대한 느낌만이 남아 있다. 내게 아버지는 세계의 질서에 대해 알려준 존재이자 나의 삶의 근거를 마련해 준 존재이기도 했다.

히로시마 여행, 교토 오쿠라 호텔 옆의 강가를 함께 걸었던 기억, 도쿄에서 야구를 함께 보았던 경험은 내 삶의 일부가 되었다. 야구 룰을 전혀 몰랐던 어린 시절이었지만, 도쿄돔에서 열리는 6개의 대학교가 리그 형식으로 벌이는 도쿄 빅6 경기는 정말 인상 깊었다. 아마 아버지와 함께 보았던 경기는 호세이대학과 도쿄대학의 경기였을 것이다.

호세이의 색깔이 블루와 주황이라서 파란색 의자에 앉아 있는 주황색 옷을 입은 사람들이 가장 먼저 눈에 띄었다. 단상에서 가쿠란 입은 남자분들이 계속 춤을 추면서 응원을 했는데, 그 절도 있는 움직임에 매료되었던 것 같다. 사실 야구를 구경했다기보다는 사람들을 구경하는 것에 가까운 경험이었고, 그곳에 아버지가 함께 하고 있다는 사실이 내게는 중요했다.

나는 지금 호세이가 아닌 토다이에 지금 와있지만, 어린 시절 아버지와 함께 보았던 주황색 물결의 기억만큼은 아직도 선명하게 남아 있다.

아버지는 그런 사람이었다. 자신의 시간을 소중하게 생각하지만 그 소중한 시간을 가족을 위해서라면 서슴없이 내어주는 사람. 아버지는 누구나 가족을 부양하기 위해 인생의 시간을 내어주는 사람이다. 그 어떤 아버지에게는 가족을 부양하기 위해서 열심히 일을 하는 형태로, 또 어떤 아버지에게는 가족들과 시간을 많이 보내는 형태로, 또 어떤 아버지에게는 또 다른 형태로 나타날 수도 있을 것이다. 내 아버지는 자신의 이름인 '데넨'을 잃어버린 채 '아버지'라는 이름으로 살고자 최선을 다했던 그런 분이었다.

"아버지, 아버지는 왜 학창 시절에 항상 학원에서 저를 픽업해 주셨어요? 다른 친구들을 보면 어머니가 픽업을 오시든지 아니면 아버지들은 대부분 딸을 위해서 가끔 오시는 정도였는데, 아버지는 항상 마중 나와주셨잖아요."

어느 날 저녁 나는 아버지에게 물었고, 유자차를 드시던 아버지는 가볍게 웃음을 지으면서 묘한 표정을 지으셨다.

"아버지가 아들에게 해줄 수 있을 것을 해주었다는 것이 어떤 점에서 이상한 것인지 모르겠구나. 꼭 어머니가 픽업을 가야 한다는 법이 있는 것도 아니잖니? 시간이 되고, 마음이 있는 사람이 가는 것이 맞는 게지."

"하지만 아버지는 시간이 없으셨잖아요."

"아들아, 결국 인간의 시간은 무엇인가로 환원될 수 있는 거란다. 그런데 사람마다 무엇으로 환원할 것인지를 선택할 수 있는 것이지. 어떤 사람은 자신의 시간을 돈으로 환원할 게다. 아마 대부분의 사람들은 그럴거야. 자기 자신은 모르더라도 자본주의는 인간의 시간과 삶을 자본으로 환원시키거든. 하지만 나는 말이야 내 시간을 '행복'이라는 관점에서 생각하고 싶구나. 돈을 버는 것도 결국에는 행복하기 위한 것인데, 많은 사람들은 행복을 포기하면서까지 돈을 벌려고 하지. 아버지는 돈을 벌기 위해서 필요한 시간보다는 너와 함께하기 위한 시간이 행복이 더 가깝다고 생각하기 때문에 아무리 바빠도 너와 함께하는 시간을 포기할 수 없었던 거란다."

아마도 나는 다른 아들들과 비슷한 아들일지도 모른다. 하지만 아버지는 다른 아버지와는 조금 다른 아버지라는 사실은 분명해 보였다. 그래서 파란색 플라스틱 의자를 채우고 있던 호세이의 주황색 컬러가 내 어린 시절의 추억을 장악하는 색이 된 것은 아닐까? 호세이의 파란색은 같은 파란색이지만, 호세이의 주황색은 파란색과는 전혀 다른 색이니까. 내게 아버지는 세상의 다른 아버지들과는 다르게 조금은, 아주 많이 가까운 그런 따뜻한 거리를 가지고 있는 분이다.

반성하는 삶

6 가지 실천 방법 중에 네 번째는 **반성하는 삶**이다.

반성은 우리를 내면적으로 돌아보고, 자신의 행동과 생각을
반성하는 것을 의미한다. 이는 우리의 자기 인식과 성장을
촉진시키며, 우리의 잘못된 습관과 행동을 개선하는 데 도움이 된다.
나는 자신 스스로 반성하는 것을 매일 해야한다고 생각한다.

그렇지 않으면 10대에 시작된 정신 체계가 성장없이 그대로 간다.
보통 20대까지는 자기를 야단치는 사람이 그나마 몇 명 정도
존재하지만 그 이후로는 자기를 바람직한 방향으로 채찍질 할
사람이 거의 없다고 보면 된다. 누가 나이 먹은 성인한테 야단을 칠
수가 있나? 요즈음은 어린아이에게도 함부로 야단치기 어렵다.

만약에 이렇게 그냥 나이를 먹어가면 정말 나중에는 어떻게 할 수 없는 괴물이 된다. 그나마 사회 생활이라도 해서 직장이나 사회에서 어느 정도 순화가 되면 다행인데 직장이나 사회생활 경험이 없거나 아주 짧은 경우에는 더 큰 문제가 발생할 수도 있다. 요즈음 맘카페의 진상 부모들이나 히키코모리(引き籠もり)도 자기 반성없이 사회에서 격리되어 자신의 체계에 갇혀 있는 삶을 살게 된 경우들인데 앞으로 우리 사회에서도 문제가 많이 될 것이다. 항상 자신을 객관적으로 보는 습관을 가지자.

핵심개념

~매일 한 가지만 반성을 해보자.
~반성없는 삶은 발전이 없다.

독서

책을 읽어야 반성할 수 있다. 왜냐하면 책은 나에게 반성할 거리를 계속 던져주기 때문이다. 사람이란 본능적으로 자신의 습관에 대해 관성이 있다. 내가 살아온 데로 계속 살아가는 것이다. 성인들에게 그런 관성에 브레이크를 걸어주고 바람직한 방향으로 나아가는 데에 책 이상의 것은 없다고 생각한다. 내가 알고 있는 성공한 사람들 대부분의 취미가 독서다. 나도 가장 큰 취미가 독서다.

어릴 때 제사 지내러 친척집에 가면 "성공하려면 사회성이 좋아야하고 친구랑 잘 지내야 한다"고 친척 어른들이 말했다. 그래서 성공하려면 사회생활 잘하고 술도 잘먹고 친구 좋아해야 되는 줄 알았다.

그런데 사회에 나와보니 **성공한 사람들 대부분은 개인적이며, 술 안 먹고, 친구 좋아하기보다 책을 좋아하는 사람들이었다.** 어느 누구도 나를 보고 책을 많이 보고 생각을 많이 하라고 이야기한 친척들은 없었다. 그 친척들의 힘든 삶은 지금도 변함이 없다.

요즈음 오디오북을 많이 이용한다. 시중의 오디오북을 모두 정기 구독하고 있고, 오프라인 책도 많이 읽는다. 출 퇴근길에 주로 오디오북을 이용하는데 한 달에 최소 10권 이상 읽는 것 같다. 아침형 인간이라 새벽에 일찍 일어나는 일이 많은데 새벽에 일어나서 책을 읽는 것이 얼마나 큰 즐거움인지는 책을 읽는 사람들은 잘 알 것이다.

'책을 많이 읽는다고 부자가 되는 것은 아니지만 부자들 중에 책을 많이 읽지 않는 사람은 없다' 라는 말이 있지 않은가? 그 말은 진실이다. 현재 사회에서 부자가 되려면 미래를 내다보고 창의적 생각을 많이 해야 하는데 그 창의적 생각이라는 것이 야구 경기나, 넷플릭스, 유튜브를 본다고 생기는 것이 절대 아니다. 책에 있다. 나를 반성하게 하고 창의적이며 도전하게 한 것은 책이었다.

핵심개념

~부자가 되고 싶은가? 성공하고 싶은가? 책을 읽자.
~성공한 사람들 대부분의 취미는 독서다.

> ...
> 해야만 하는 일과 하고 싶은 일
> ...

교에서 우리는 보통 사람으로서 해야만 하는 일들에 대해 교육받는다. 나아가서 어느 정도 이상의 생활 수준을 유지하기 위해서는 어떤 일을 해야만 한다는 것을 알게 되고 그런 일을 배우는 과들이 인기가 높다. 그래서 숙제하듯이 공부하고 일을 한다. 공장에서 물건 찍어 내듯 똑같은 일상을 반복한다. 그리고 하고 싶었던 일에 대한 생각은 점점 없어져 간다.

살아보니 **자신이 하고 싶은 일을, 해야만 하는 일로 바꾸는 스킬(skill)이 중요**한 것 같다. 그것이 삶의 동력이 되고 꿈이 될 수 있다. 또한 꿈은 크게 가져야 한다. 일론 머스크(Elon Musk)의 화성 탐사가 황당하게 보일지 몰라도 나는 결코 그렇게 생각하지 않는다. 대단한 것이고 그것이 일론 머스크 삶의 동력일 것이다.

어릴 때 도서관 사서가 되고 싶었다. 독서를 좋아했고 도서관의 분위기와 특히 책의 종이 냄새가 너무 좋았다. 그리고 그러한 환경에서 하루 종일 자신의 일을 하는 직업이 부러웠다. 내가 아프지 않았다면 사서가 되었을 수도 있다. 그래서 요즈음 나의 꿈은 도서관을 짓는 것이다.

핵심개념

~하고 싶었던 일을 잊지 말자. 그것은 자신의 꿈이었다.

...

무의식 끌어올리기

...

지금은 전혀 술을 마시지 않지만 예전에 술에 많이 취하면 우는 버릇이 있었다. 나의 내면에 있던 억제된 무의식중에 슬픔과 분노가 올라오는 것으로 생각했다. 그래서 당시에도 술을 많이는 마시지 않았고 지금은 하지 않는다.

자신의 무의식을 안다는 것은 어렵다. 왜냐하면 자신의 에고(ego)가 항상 무의식을 막고 있기 때문이다. 지금 이렇게 글을 쓰면서도 나의 에고는 "무슨 술 먹고 우는 것까지 글을 쓰냐, 부끄럽게.."라고 하면서 무의식을 끌어올리는 것을 막는다. 하지만 그것을 말로 하고 글로 쓰는 순간, 내가 왜 그런 행동을 하며 그런 행동을 하는 이유에 대해 자신의 무의식과 의식이 만날 수 있다. 그러면 무언가 편해진다. 슬픈 마음이 강물처럼 밖으로 빠져나가는 느낌이 든다.

오래전이지만 여동생이 결혼하던 날, 그 좋은 날에 술을 먹고 많이 울었었다. '사랑하고 미안한 사람 내보내기'에 대한 무의식적 상실감 때문이라 생각한다.

지금 생각해보면 왜 그랬는지 웃음이 나온다.(여동생은 아들 둘 낳고 잘살고 있고 막내가 올해 대학을 갔다) 프로이트(Freud)는 '자유연상법'에서 자신에게 떠오르는 어떤 것을 막힘없이 자연스럽게 말이나 글로 풀어내어 무의식을 끌어올리는 방법을 쓰는데 내가 말하는 것과 비슷하다. **자신의 무의식을 막지 말고 흐름에 따라 끌어 올려 그것을 글로 써보면 마음이 편안해진다.**

핵심개념

~자신의 감정 흐름을 자유롭게 기록하다 보면 무의식이 보이고 편안하다.

···

선행

···

6 가지 실천 방법 중에 다섯 번째는 <u>선행을 하는</u> 것이다.

선행이란 우리가 다른 사람들을 위해 선을 행하며, 연민과 배려심을 나누는 것을 의미하는데, 이는 우리가 타인에 대한 이해와 배려심을 높이고, 우리의 인간성을 향상시키는 데 도움이 된다.

나는 운이 좋다. 병원은 선한 행동을 할 수 있는 너무나 좋은 조건이다. 일반인들은 잘 모르겠지만 마음만 먹으면 하루에도 수십 가지 선행을 할 수 있는 곳이 병원이다. 아픈 사람을 정성껏 최선을 다해 치료하는 것 자체가 선행에 해당되고 가난한 환자는 무료로 치료도 해줄 수 있다. 진료할 때도 조금만 신경을 쓴다 면 환자의 예후에 큰 영향을 미친다는 것을 의료인들은 모두 알고 있다.

 사람들 각자가 처한 환경이 모두 다르겠지만 조금만 생각해 보면 우리 모두가 선행을 할 수 있다. 예를 들어 엘리베이터에서 만난 동네 이웃에게 따뜻한 인사를 건네는 것도 상대방에 대한 작은 선행이라고 나는 생각한다. 병원에서 보내는 시간이 많은 나는 하루에 한 가지라도 병원에서 꼭 선행을 하려고 노력한다. 매일의 선행이 결국 나의 영혼을 선하게 만들 것이다.

핵심개념

~하루에 한 가지씩 선행을 하자
~선한 영혼은 매일의 선행에서 비롯된다.

플렉스

 즘 세대에서 유행하는 것 중 하나가 "플렉스(flex)" 이다.

플렉스란 것이 고가의 차량이나 명품 쇼핑, 호텔 레스토랑에서 비싼 음식 먹는 것을 인스타그램에 올리며 자신을 들어 내보이는 것인데 나는 이 행동들이 전혀 이해되지 않는 것은 아니나 안타까운 감정이 드는 건 사실이다. 나는 가장 큰 플렉스란 고가의 자동차를 사거나 호화 쇼핑을 하는 것이 아니라 자선(charity) 이라고 생각한다.

제일 큰 플렉스는 자선과 기부다. 얼마전에 나도 졸업한 의대 동창회 건물을 짓는데 적지 않은 돈을 기부한 적이 있다. 그런데 아이러니한 것은 평소에 돈을 많이 벌었다고 자랑하는 이들 중에 실제로 기부를 행동으로 옮기는 이가 적다는 것이다.

 아는 동기들도 그랬다. 사실 기부라는 것도 말보다 행동이 중요하다. 개인적으로 자선 사업을 실제로 행하는 사업가를 가장 존경한다. 평소 돈은 버는 것보다 어떻게 쓰느냐가 가장 중요하다고 생각하기 때문에 자선이야말로 선행의 꽃이 아닐까 생각한다.

그런 의미에서 나는 백신 사업과 아프리카 위생 개선 사업을 하고 있는 마이크로 소프트(Microsoft) 빌 게이츠(Bill Gates) 회장을 존경하며, 교토상(京都賞)을 제정하고 세이와주쿠(盛和塾)를 통해 인재 양성에 힘쓴 교세라 (Kyocera)의 이나모리 가즈오(稻盛和夫)회장을 존경한다. 그들은 무에서 유를 창조한 기업가로서도 존경받지만, 자선가로서의 삶은 나에게 많은 자극을 준다.

핵심개념

~진정한 플렉스는 자선이다.
~기부는 말보다 행동이 중요하다.

···
큰 고민을 하지 않는 것
···

6 가지 실천 방법 중에 마지막 여섯 번째는 **큰 고민을 하지 않는 것**이다. 사람들이 고민하는 일의 대부분은 시간이 지나고 나서 생각해 보면 매우 사소한 일이다. 자식들 성적 문제나 돈 문제 등도 사실 죽음이나 건강 문제에 걸리면 매우 사소해 진다. 그런데 사실 죽는 것도 어찌보면 별일 아니지 않은가?

알다시피 모든 사람은 죽는다. 이 세상 모든 부자도, 독재 권력자도 왕도 다 죽는다. 죽음만큼 공평한 것은 없다. 그래서 나는 **'세상에 별일은 없다'** 라고 생각한다.

내과 의사를 하면서 죽음을 수도 없이 보아왔다. 내과는 바이탈과 특성상 죽는 환자를 제일 많이 볼 수밖에 없는 과다. 죽음을 접하다 보면 처음에는 감정적이더라도 어느 순간 거기에다가 공감을 해버리면 내가 죽을 것 같기에 무덤덤하게 마음을 놓아버린다. 내과 의사들은 이 말이 무슨 말인지 잘 알 것이다. 죽음도 별일 아닌데 하물며 어떤 일이 별일인가?

고등학교 때 너무 아파서 자살을 몇 번이나 생각했다. 하지만 실행은 차마 하지 못했다. 왜냐하면 지금 너무 아프지만 자살은 더 아플 것 같았고, 고생하시는 부모님 때문에 차마 할 수 없었다, 그래서 내가 내 병 한번 고쳐보자는 생각에 의사가 되기로 했고, 그 이후로는 되도록 큰 고민은 하지 않는다. 물론 예외도 있다.

세로토닌(Serotonin)의 기능이 많이 떨어진 중증 우울증(Major depression) 환자들은 약물 치료를 받아야 한다. 그것은 폐렴 같은 질병이기 때문이다. 단순히 우울증을 감정 극복의 영역으로 보는 일반인들이 많은데 그것은 큰 오산이다. **'세상에 별일은 없다'는 것이 바로 불교에서 말하는 공(空)이라고 나는 생각한다.**

핵심개념

~세상에 별일은 없다. 죽음도 별일이 아니다.

...
적당한 고민이란
...

하지만 고민하지 않는 삶은 일종의 안락한 삶으로 보일 수 있겠다. 오히려 고민을 하고, 문제를 해결하고 자 노력하는 과정에서 우리는 내면에서 성장하고 발전할 수도 있다. 고민은 우리가 어떤 문제를 마주할 때, 그 문제를 해결하려는 노력에서 가치가 시작된다. 이를 통해 우리는 자신의 가치관이나 생각을 돌아보게 되고, 이를 통해 새로운 인사이트(insight)를 얻을 수도 있다.

이러한 경험들은 우리가 성장하고, 더 나은 선택을 할 수 있게 해준다. 따라서 한 편으로 고민하는 것은 우리의 마음을 수양하는 데에도 큰 도움이 된다. 내가 말하고자 하는 것은 지나치게 고민하는 것은 오히려 우리를 괴롭히고 스트레스를 유발할 수 있으므로 적절한 균형을 유지하는 것이 중요하다는 것이다. 중용을 지키자.

핵심개념

~적당한 고민은 우리를 성장시키고 발전시킨다.

~항상 균형된 감각을 지니자.

. . . .

...

사람을 대하는 자세

...

처음에 병원을 개업해서 세를 살았던 건물이 있었다. 문제는 건물의 노후가 심해 자주 하자가 발생했는데 모든 하자 문제를 임차인인 내가 해결해야 되었다. 심지어는 건물에서 빗물이 새는데 이것도 임차인이 자비로 수리하라는 것이었다. 화가 났지만 병원을 옮길 수도 없어서 우리가 수리를 했다.

5년이 지나 재계약이 필요하던 시점이 되었다. 결국 그 건물을 내가 매수하려는 의사를 보였는데 계속 말도 안되는 금액으로 매매가를 올리는 것이었다. 나중에 안 사실이지만 매도하려는 의사는 원래 없었고 계속 우리에게 세를 받고 싶어하는 것이었다. 결국 옆 도로에 있는 건물을 매수했고 그 건물을 전체적으로 다시 리모델링 하여 병원을 하게 되었다.

당시 나는 이 일을 독립 운동한다는 느낌으로 진행했었다. 그만큼 절실했다. 건물을 지으면서 구청에 몇 건 고발도 되어 경찰서도 난생처음으로 가서 조서도 꾸몄다. (누가 고발하였는지 대충 짐작은 간다) 그리고 기소도 되어 벌금도 물게 되었고, 복지부 실사도 받게 되었다. 마음고생이 엄청 심했다. 하지만 병원을 옮기기 전에 걱정했던 모든 것들은 병원을 옮긴후에 사라 졌다.

임대료에 대한 부담감, 건물 부실에 대한 스트레스등은 한꺼번에 날아갔고 내 건물에 대한 안정감과 건물에 사소한 하자가 생겨도 전혀 힘들지 않았다.. 그때 생각했다. **만약에 내가 임대인이 되면 임차인을 같은 동반자로 보고 상생(相生) 하겠다고 다짐했다.** 후에 우리가 실제로 임대인이 되었을 때실제로 그렇게 했다. 우리는 지금도 임차인을 함께 동업하는 사장님으로 본다. 임대료도 최대한 임차인의 사정에 맞춰주고 있으며 명절에는 간단한 선물도 돌린다. 그런데 실제로 그렇게 하니까 임차인들도 아주 호의적이다. 심지어는 한 임차인이 계약이 만료되어 나가게 되었는데, 자신의 동료를 승계하는 임차인으로 만들어 주는 경우도 있어서 부동산 중계 수수료를 아끼는 경우도 있었다.

처음 병원 건물주였던 분이 나를 참 힘들게 하였는데 그 덕분에 독립을 하게 되었고, 나에게 임대인의 자세를 반면교사로 가르쳐 준 셈이 되었다. 결국 그분이 나에게 큰 도움을 주었던 것이다. 이후 십수 년이 지나서 건물주였던 그 분과는 다시 화해를 했다. 세월이 흐르니 좋지 않았던 감정도 풀려서 어느날 병원으로 나를 찾아 왔던 날에 식사하라고 봉투에 돈을 넣어 드렸다.

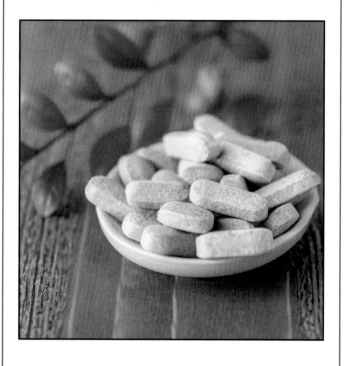

핵심개념

~조금 손해본다는 생각으로 상대방을 대하자.

~자기를 제일 힘들게 하는 사람이 결국 자기를 제일 단련시키는 사람이다.

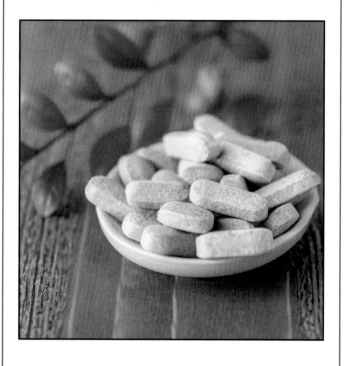

우리는 무엇을 위해 살아가는가?

학교선생님

 직은 성직(聖職)이라고 생각한다.

그만큼 중요한 일이고 자부심을 가져야 하는 직업이다. 하지만 요즈음 교사들을 보면 그렇지 않다. 자신들을 단순한 지식 전달자로서 생각하고 월급을 받는 공무원으로 생각하는 것 같다. 개인적으로 여동생도 교사이고 처형도 교사라 교사들의 고충을 비교적 많이 들었다. 또한 요즈음 학부형 세대의 갑질에 교사들이 자살까지 하는 판국이니 이는 정말 슬픈 일이다.

한 인간이 형성되는 것과 국가가 이루어지고 유지되는 것에 교육은 가장 중요하다. 사실 지금 우리 사회 문제도 모두가 교육의 문제라고 보아도 과언이 아니다.

 내 자식만 잘되면 되고 친구들을 적으로 만들어 버리는 이러한 입시 체제의 주입식 교육을 십수 년간 받다가 갑자기 대학교에 와서 창의력을 발휘하라, 상생하라는 말을 들으니까 아이들이 멘붕이 오는 것이다. 정신이 분열될 수밖에 없을 것이다.

일본은 20년 전쯤에 각종 사회 혐오 범죄와 아이들의 정신 질환 문제로 골치를 앓다가 입시 체제를 많이 완화하고 각종 교육 시스템을 개선했다고 한다. 한국 사회가 일본을 따라가는 경향이 크므로 한국 교육시스템도 다시 기본부터 고쳐야 한다고 생각한다. 지금 교육제도를 손보지 못하면 나라가 정말 망할지도 모르겠다는 생각이 든다.

핵심개념

~교직은 성직이다.
~교육은 백년지대계(百年之大計)다.

···
네 번째 점, 아키코(あきこ)
···

나는 살면서 선물다운 선물이라곤 받아본 기억이 없어요. 우울증에 시달리는 어머니와 도박에 빠져 있던 아버지를 둔 탓에 어린 시절의 나는 항상 불안했죠. 우리 가족이 거주하던 허름한 빌라는 1층에 누군가가 들어오기만 해도 발소리가 들려오는 곳이었는데요.

아버지가 얼큰하게 취해서 들어오시는 날에는 언제나 1층부터 불안한 발소리가 들려왔습니다. 잠자리에 누워서도 1층에서 들려오는 아버지의 발소리를 직감적으로 알 수 있었어요. 뚜벅뚜벅 소리가 날 때마다 내 심장을 향해 아버지가 다가오는 듯한 두려움과 공포감에 사로잡히곤 했습니다.

문이 열리는 '철컥' 소리가 나는 순간에는 제 심장도 '덜컥' 내려앉는 것 같았고, 아버지의 발걸음 소리가 내 방문 앞에 이르게 되면, 비명을 지르면서 뛰쳐나가고 싶었어요. 하지만 제가 할 수 있는 일은 그저 자는 척하는 것이었습니다. 조용히 무사하게 지나가길 바라면서요. 아마 10살 때쯤 생일이었던 것 같아요. 그날도 불안하게 잠자리에 누워있었죠. 그저 내 생일이니 오늘만큼은 아버지가 집에 들어오지 않았으면 좋겠다는 생각을 했던 것 같아요. 하지만 제 그런 기대와는 다르게 아버지는 새벽 1시 즈음에 제 방문을 열고 들어오셨답니다.

아버지의 발걸음 소리에 이미 잠에서 깨어 있었지만, 저는 자는 척을 하고 있었습니다. 아버지는 방에 불을 켜시고 자는 저를 깨우기 시작하셨습니다. 자는 척을 하고 있었다는 사실을 들키지 않기 위해 눈을 비비면서 최대한 느리게 일어났습니다. 그때 제 눈에 들어온 것은 아버지 손에 들려 있는 선물이었습니다.

"아빠, 제 생일은 어제였는걸요."

"어제? 오늘이 네 생일이 아니고? 아키코 지금 무슨 말을 하고 있는 게니?"

사실 밤 12시가 넘어 있었기 때문에 물리적인 시간으로 본다면, 하루는 0시로부터 24시까지를 기준으로 하므로 내 생일은 '어제'라고 표현하는 것이 옳았어요. 하지만 어린 시절의 나는 물리적인 시간보다 중요한 것이 아버지의 기분이라는 사실을 미처 알지 못했답니다. 술에 취해 있던 아버지는 항상 그랬듯이 화를 내기 시작했죠.

"어제? 오늘? 어제? 네 생일이 어제라고? 아버지가 술 마셨다고 지금, 네가 지금, 나를, 응? 지금. 어제라고? 어제였다고?"

아버지의 목소리는 조금씩 커져가고 있었고 내 불안감도 함께 자라나고 있었죠. 하지만 도대체 왜 아빠가 화를 내는지 이해할 수 없었습니다. 분명히 제 생일은 어제였거든요. 결국, 멍한 상태였던 제 앞에서 분노에 찬 아버지는 선물을 집어던지시면서 어머니와 저에게 이유를 알 수 없는 욕설을 한바탕 퍼붓고는 다시 나가셨습니다. 지금도 저는 제 생일이 다가오면 불안합니다. 누군가가 저에게 선물을 준다는 것이 아주 많이 불편합니다.

저는 지금 아주 편안합니다. 아마도 저는 지금 죽어가고 있으니까요. 누군가에게 불편한 짐을 맡긴 기분이라 죄송하지만, 이기적이긴 하지만 저는 죽어가고 있으니 너그러운 마음으로 양해해 주시기 바래요. 이 땅에서 마지막으로 보는 풍경이 병실 안이라는 사실이 조금은 답답하지만, 그래도 그 순간에 누군가가 곁에 있어 주어서 다행입니다. 잘 보이지는 않지만, 아마도 데넨상과 미사유키상 그리고 토모코상일테지요.

인생에는 열어서는 안 되는 문이 있기 마련입니다. 하지만 또 어떤 문은 제가 원하지 않아도 갑자기 열리기도 합니다. 제 경우에는 어린 시절 언제 아버지가 열고 들어올지 알 수 없는 제 작은 방문이 그랬습니다. 그런데 갑자기 찾아온 선언도 그랬습니다.

"암입니다."

"네? 뭐라구요?"

"매우 유감스럽습니다만, 암입니다."

"네? 제가 암이라구요?"

"받아들이기 어려우신 것을 잘 압니다만, 폐암입니다."

"저는 담배도 피우지 않는데 폐암이라니요? 무엇인가 잘못된 것이 아닐까요?"

"담배를 피우는 사람에게 폐암 발병률이 높은 것이 사실이지만, 꼭 담배를 피우지 않아도 다양한 요인들에 의해서 폐암이 발현할 가능성이 있습니다. 갑자기 좀 당황스러우시겠지만, 다른 병원에 가서 검사하셔도 똑같은 이야기를 들으실 겁니다."

"얼마나 심각한 것인가요? 수술은요? 제가 무엇을 어떻게 해야 하는 거죠?"

"소세포성 폐암으로 현재 예후가 좋지는 않습니다. 조금 더 검사하고 지켜보아야 하겠지만, 반대편 폐에도 암 병소 등이 보이기 때문에 3기에서 4기로 이미 넘어섰다고 말씀드릴 수 있겠습니다."

"4기면 안 좋은 건가요? 1기가 안 좋은 건가요?"

"숫자가 높아질수록 예후가 좋지 않은 상태라는 의미입니다. 하지만 조금 더 정밀하게 검사를 해볼 필요가 있습니다. 지금 단계에서 너무 낙심하실 필요는 없습니다. 만일 전이된 병소가 있다면 항암 치료와 더불어 방사선 치료도 적극적으로 고려해 볼 수 있겠지만, 지금은 일단 환자분께서 마음을 좀 추스르시는 것이 좋을 것 같습니다."

 그저 휘색 가운을 입으면 다 똑같아 보이고, 내게는 어려운 의사 선생님에 불과했습니다. 그날 제게 신실하세 일명에 주신 류타로 선생님은 지금 돌이켜보면, 다른 선생님들 같지 않게 친절한 배려를 해주었었지요. 하지만 제가 받게 된 충격이 너무나도 컸던 탓에 전달받은 메시지가 아닌 메신저를 혐오하게 되었던 것 같습니다.

 제 병을 고쳐줄 수 없다면, 휘색 가운을 입은 무리가 어떤 사람이든 제게는 별반 다르지 않았으니까요. 며칠이 지나도 마음이 진정되지 않았고, 저는 다른 병원을 찾아 사실을 확인해야 했죠. 물론 결과는 바뀌지 않았습니다.

데넨 선생님은 다른 의사분들하고는 좀 달랐습니다. 내과 레지던트 1년차였던 데넨 선생님은 거의 차트에 치어서 사는 사람처럼 보였습니다. 항상 분주하고 바빴지만, 언제나 저에게 말을 걸어주는 몇 안 되는 사람 중 하나였습니다. 물론 데넨 선생님에게 저는 한 사람의 환자가 아니라 자신이 돌보아야 할 여러 환자 중에 한 사람이었겠지만요.

 이곳 큐슈대병원에는 수많은 사람이 스쳐 지나가듯 흘러 다니고 있었습니다. '흐른다'라는 표현이 정말 적절할 것 같네요. 의사 선생님이든 환자들 모두가 떠다니고 흘러 다니는 것처럼 느껴졌거든요. 처음 암이라는 진단을 받고 인정할 수 없어서 여러 병원을 전전하면서 저도 떠다니고 있었습니다. 그러다가 결국 이곳 큐슈대병원에까지 와서야 저는 사실 확인을 멈출 수 있었습니다. 이제 더 이상 흘러 다니고 떠다닐 힘조차 남아 있지 않았으니까요.

각종 검사를 다시 한번 받고 저는 다시 한번 폐암 4기 선고를 받았습니다. 결국 저는 큐슈대병원에 한 자리를 차지하게 되었고, 데넨 선생님이 제 담당의가 된 것이죠. 데넨 선생님은 조금 남달랐어요.

대부분의 의사 선생님들이 근엄하거나 피곤에 절어 있거나 둘 중 어느 한 부류에 속했는데, 데넨 선생님은 그 어느 쪽도 아니었습니다. 굳이 분류를 하자면 피곤한 쪽이었겠지만, 항상 밝은 모습을 보여주곤 했습니다.

"데넨 선생님은 항상 밝으시네요."

언젠가 데넨 선생님께 스쳐 지나가듯 잠시 제 마음의 부러움을 표했던 적이 있었습니다. 그러자 데넨 선생님이 조금 어정쩡한 표정으로 대답하셨어요. 그 표정을 생각하면 죽어가는 지금도 피식 웃음이 나옵니다.

"아키코 상, 어떻게 저라고 항상 밝기만 하겠습니까? 하지만 이 병동에 머무는 동안에는 저라도 환하게 여러분들을 대해드려야 하지 않을까요? 무겁게 무겁게, 더 무겁게만 행동하고 말한다면, 아마 저뿐만 아니라 여러 환자분도 더 우울해질 거라고 생각해서요. 사실 매일매일 피곤에 절어서 삽니다. 어제도 3시간 밖에 못 잤다니까요."

자신은 선천적으로 밝은 사람은 아니라고 말했지만, 저는 그런 데넨 선생님의 밝음이 좋았습니다. **아, 숨이 조금 가빠지네요. 잠시, 잠시만요.**

제가 잠시 정신을 잃었었나요? 이제는 정말 마지막이 가까이 다가오고 있나 봅니다. 이 병동에는 시간이 참 느리게 흘리죠. 삶을 되돌아보는 일 외에는 별다른 일이 없으니까요. 해야 할 일도 없죠. 하고 싶은 일들은 많지만요. 하지만 이제는 그 모든 것들이 흘러가 버리고 이제는 이 지긋지긋한 숨소리, 내 숨소리가 멈췄으면 좋겠습니다.

고르지 못한 내 숨소리가 얼마나 부끄러운지 아마 모르실 겁니다. 나는 나만의 고른 숨을 쉬면서 살고 싶었습니다. 숨죽여 살지도 않고, 그렇다고 쌕쌕 숨을 몰아쉬지도 않는 그저 평범한 나만의 숨을 쉬고 싶었을 뿐이에요. 하지만 숨을 쉬는 것이 너무 고통스러워요. 이 고통을 끝내는 것조차 내 힘으로 할 수 없다니, 삶이란 고귀하기보다는 고통스러운 것이고, 나의 선택이기보다는 이끌려 가는 것이라고 나는 생각합니다.

내 삶에 대한 선택권이 전문가인 의사에게 달려있는 느낌이랍니다. 그 어떤 선고이든, 그 어떤 선언이든 내가 가진 질병에 대한 선고와 선언일 뿐이지, 내 삶에 대한 것은 아니잖아요. 그렇다면 내 삶에 대한 선고와 선언은 나만의 것이어야 합니다. 삶은 고통보다 고귀한 것이라고들 하지만, 삶을 이어갈 수 없는 고통도 있다는 사실을 사람들은 종종 잊곤 합니다. 자신의 고통이 아니기 때문이죠.

내 아버지가 그랬던 것처럼 정말 가치 없는 일에 대해 사람들은 대부분 논쟁하고 떠들어 댑니다. 오늘이면 어떻게 내일이면 어떻겠습니까? 중요한 것은 내 고통이 끝나야 한다는 것입니다.

그 언제인가 데넨 선생님에게 은근히 제 뜻을 전한 적이 있습니다. 말은 은근했지만 뜻은 노골적이었다고 저는 생각해요.

"데넨 선생님, 저는 세상에 죽어가는 모든 것들이 아름답다고 생각합니다. 적당하게 찬란할 시간이 남아 있으니까요."

아마 데넨 선생님은 제 말뜻을 알아 들으셨으리라 생각합니다. 하지만 그는 밝은 표정을 지어 보였을 뿐 아무런 말을 하지 않았습니다. 죽어가는 모든 존재가 죽어가도록 둘 자유란 무가치한 것일까요? 저는 많이 배우지 못해서 잘 모르겠습니다.

숨소리가 들리지 않는데, 제가 숨을 쉬고 있는 건가요? 고통스럽지만 잠이 오는 것처럼 의식이 자주 뒤로 넘어가는 것 같네요. 거의 다 다다른 것 같습니다. 류타로 선생님은 친절했지만 사실 제 상태는 그다지 희망이 보이는 상태는 아니었을 겁니다. 그래도 그 마지막 순간을 데넨 선생님이 함께 해주고 있어서 고맙네요. 오늘 데넨 선생님의 부쩍 거칠어진 표정을 보니 제 바램이 이루어질 것 같습니다.

35년 참 길고도 짧았던 시간이었습니다. 저는 이제 더 이상 두려움의 문 앞에 다시 서지 않아도 되겠네요. 데넨 선생님, 표정이 좋아 보이질 않네요. 숨이 가라앉아 옵니다. 데넨 선생님, 아무것도 하지 마세요. 그 주사, 다른 처치, 저에게는 더 이상 필요가 없습니다. 데넨 선생님, 이제는 그만해 주세요.

그 주사, 그 주사가… 데넨 선생님의 답변이었을까요 아니면 데넨 선생님의 선물이었을까요? 어느 쪽이었든 데넨 선생님께 고맙다고 전해주세요.

元気です 私の人生.

さよならデネン先生.

プレゼントありがとうございました。

プレゼントはかなり大丈夫でした。

괜찮았어. 내 인생,

안녕, 데넨 선생님,

선물 잘 받았어요.

선물이 꽤 괜찮던걸요.

점을 이어 선으로

...

문의를 땄을 때 의약분업이 막 시행된 직후라 개업붐이 엄청 불었다. 처음부터 개업해서 병원을 경영하고 싶었다. 그래서 로컬병원의 경영을 배우고자 당시 환자 많기로 유명했던 병원에 잠시 근무하기로 마음 먹었다. 하지만 전문의 부심에 차있던 것도 금방 지나고, 대학병원에서 막 나와 로컬병원에서 하는 진료는 다른 점이 많았고 힘들었다.

대학병원에서는 전문 분야만 진료하면 되었고 환자들도 중환이 많아서 대부분의 환자들이 비교적 의사에게 순응적이다.(요즈음은 그렇지도 않다) 하지만 로컬병원은 다양한 분야의 진료도 봐야 했고 비교적 경환이 많아서 환자들이 의학적 지침보다 자기 생각에 필요한 것만 요구하는 것이 많았다.

처음에는 무척 당황스러웠다. 그것도 그럴 것이 학교 졸업하고 대학병원에만 있었으니 로컬병원의 생리를 알 수가 없었다. 결국 그 병원에서 모든 것을 다 해보았다. 다른 전문의 선생님을 통해 타과의 진료와 치료도 배웠고, 원장님을 통해 병원 경영도 틈틈이 배웠다. 처음에는 원장님이 왜 저렇게 할까? 이렇게 하면 더 좋은데 하는 부분들이 참 많았다.

개업하고 나서 20년이 다 되어 가는 지금 보면 그때 원장님이 왜 그렇게 했는지 이해가 되고 지금의 나도 그때 원장님 처럼 똑같은 방식으로 하고 있음을 발견한다. 그 병원에서 내가 왜 이런 진료를 해야 하지 하고 여러번 생각했는데 지금 그 진료들이 가장 환자들에게 필요한 진료가 되었고 '이런 것까지 해야 되나'하고 생각한 것들은 지금 우리병원 진료 다각화의 첨병이 되었다. **지나고 나서 보니 삶에서 필요없는 경험이란 없다. 보잘 것 없는 시간이란 없다. 삶이란 이러한 무수한 점을 이어주는 선이며 이것이 연결되어 자신을 이룬다.**

핵심개념

~인생에서 모든 경험과 시간들은 다 소중하다.

삶을 유지하는 가치들

 지막으로, **노력, 겸손, 감사, 반성, 선행 및 큰 고민을 하지 않는 삶**은 모두 인간의 마음을 수양하는 데 매우 중요한 가치이다. 이러한 가치들은 우리의 내면을 조절하고, 자아성찰과 자기반성을 통해 우리의 인간성을 높이는 데 도움이 되며, 우리는 우리의 내면을 조절하고, 평화로운 삶을 살아갈 수 있다.

나는 이 6가지 실천방법들을 매일 묵상하고 실행하려고 노력한다. 인간은 망각의 동물이라 자칫하면 그 생각이 사라져 버리고 교만해지므로 잊기 싫어서 진료실 모니터에 항상 작은 글귀로 적어두고 있다. 6가지 실천방법을 매일 일어날 때 마음 속으로 새겨보자.

아마도 한 달만 지나면 놀랄 정도로 바뀐 자신의 모습을 볼 수 있을 것이다. 내가 그랬다. 실제로 주위 다른 사람들도 그 사람이 바뀌면 눈치를 챈다. 지금 당장 실천해보자.

핵심개념

~ 다시 정리하자. 6가지 실천방법. 노력, 겸손, 감사, 반성, 선행, 큰 고민을 하지 않는 삶.

우리는 무엇을 위해 일하는가?

> ···
> 우리는 무엇을 위해 일하는가?
> ···

리는 무엇을 위해 일하는가? 나는 **자신의 인격적 완성을 위해서 일을 하는 것**이라고 생각한다. 즉, 일이란 **자신의 인격적 완성을 위한 하나의 도구**라고 생각한다. 앞에서 말한 것처럼 만약에 내가 태어났을 때보다 조금이나마 아름다운 영혼으로 죽기 위해서 인생을 산다면, 우리는 남들이 혐오하는 어떠한 일을 하더라도 즐거울 것이다.

왜냐하면 **힘들고 혐오하는 일이야말로 우리의 영혼을 좀 더 많이 단련시켜주는 것이니까**. 그렇게 생각해보면 소위 돈을 많이 버는 직업뿐 아니라, 모든 직업이 소중한 것이다. 남들이 하기 싫어하는 직업들, 예를 들면 똥을 퍼는 직업, 우리가 천시하는 기생조차도 소중한 직업들이다.

 일이란 자신의 영혼의 완성을 위해 쓰이는 도구라는 생각을 하지 못한다면 일하는 시간은 고통의 연속이고 지옥이다.

핵심개념

~우리는 자신의 인격적 완성을 위해서 일을 한다.
~인격을 완성할 수 있는 도구로서 직업은 모두 숭고하다.

직장생활

마도 대부분의 사람들은 직장 생활이 고통의 연속일 것이다. 왜 그럴까?

첫째는 대부분의 일이 남이 시켜서 하는 일이며 자신의 일이 아니기 때문이고 둘째는 일의 의미를 생각해 보지 않아서 일 것이다. 한번씩 유튜브(Youtube)를 보게 되는데 직장인들의 일상생활을 보여주는 유튜브 중에 대부분은 일하는 시간이 스킵(skip)된다.

나머지 먹고 마시고 노는 것만 보여준다. 일하는 시간이 힘들고 고통스러워서 그렇다. 나도 마찬가지였다. 그나마 내 일이었고 정말 좋아서 하는 일인데도 그랬다. 어느 순간 환자 보는 것이 지옥이었다.

 3평 남짓한 진료 공간에서 몇십 년을 환자만 본다고 생각하니 가슴이 답답하고 죽을 거 같았다. 그나마 나는 과거에 환자였고 환자의 마음을 너무 잘 아는데도 그랬다. 하지만 **일의 개념을 '영혼을 단련시켜주는 도구'라고 생각**하는 순간, 마음이 편안해졌다. 진상환자가 오면 더 좋았다. 왜? 내 인격이 더 많이 수양될 수 있으니까. 마음 하나 바꾸었는데 이렇게 달라졌다.

핵심개념

~일체유심조(一切唯心造), 일에 대한 생각을 바꾸어보자.

...

가난한 삶

...

 릴 때 가난했다.

아버지는 섬유 중소기업의 부장이었는데 말이 부장이지 직원이
그렇게 많지 않았고 하루 종일 공장에서 기름때 묻은 채로 일하는
직원들 중에 관리직이었다. 나중에 안 사실이지만 1980년대 후반에
세계화의 진행으로 중국이 문호를 개방하자 한국에 있던 섬유
공장들은 대부분 수지 타산이 맞지 않아 도산하거나 임금이 싼
중국으로 공장을 옮겼다.

당시 아버지가 다니던 회사의 사장은 (창업주는 사장의 아버지)
원래부터 부잣집 아들이라 공장에 별 뜻이 없었고, 공장 땅을 나중에
맨션 부지로 팔았다. 아버지는 회사 생활을 누구보다도 열심히
하셔서 회사 청산할 때까지 끝까지 회사를 지켰다.

나는 그때 평생을 일했던 아버지가 사장의 단 한번 결정으로 자신의 인생이 좌지우지되는 것을 옆에서 지켜보았다. 참으로 슬펐다. **능력이 없고 자본이 없는데서 오는 그 좌절감은 겪어보지 않고는 모를 것이다.** 아버지는 이후 하청 회사에서 잠시 일하다가 또 다른 회사에서 경비원을 하면서 자신의 커리어를 마감했다.

당시에 어렸지만 **내가 만약에 회사를 하게 되면 나의 직원은 끝까지 책임지겠다**는 생각을 뼛속 깊게 하게 되었다. 그래서 나는 지금도 나의 병원 및 회사 직원이나 우리 부동산 임차인들을 가족처럼 생각하고 책임지겠다는 각오로 일을 한다. 그리고 나의 자유도 중요하지만 그들에게도 자유를 주고 싶다.

지금 병원하는 곳에도 주위 공장에 다니는 분들이 기름에 찌든 작업복을 입고 오는 때가 있는데 지금도 나는 기름 냄새에서 아버지 냄새를 느낀다. 그분들을 볼 때마다 말은 안 해도 예전의 아련한 기억들이 떠오르며 아버지 생각이 난다. 세상에 모든 일은 소중하다. 나는 지금도 말끔한 넥타이의 영업사원보다 기름과 땀에 찌든 공장 직원들이 좋다. 그들의 일과 노동이 좋고 겸손함이 좋다.

핵심개념

~능력과 자본이 없으면 자신의 인생이 남에 의해 휘둘린다.
~나는 지금도 공장에서 일하는 무수한 노동자들을 존경한다.

···
장학금
···

고등학교 1학년 때 아버지가 다니던 회사가 문을 닫았다. 우리는 당시 회사 관사에 살았었다.

우리 집 모습을 보러 가정방문 오셨던 고등학교 3학년 담임 선생님께서 장학금을 주선해 주었다. 장학금을 주었던 곳이 귀금속 제조업체였다. 장학금을 받으러 나 말고 한 학년에 한 명씩 총 3명이 회사에 갔었다. 당시 사장님께서 아버지 직책을 물어 보았는데 내가 부장이라고 답하자, "허.. 학교에 가난한 학생 추천하라고 했는데" 하면서 짜증을 내었다.

나는 조금 무안했다, 부장이라고 다 같은 부장은 아니다. 자존심에 아무 대답도 할 수 없었다. 그때 돈을 벌면 꼭 가난한 학생들에게 장학금을 주리라 생각했고 나중에 결국 그렇게 했다.

핵심개념

~돈을 많이 벌면 좋은 점 중에 하나는 가난한 학생들에게 장학금을 줄 수 있다는 것이다.

가난의 고리

정 말 우리 집안을 가난의 고리에서 끊고 싶었다.

한 연구에 따르면 가난의 세습을 끊기 위해 한 집안에서 몇 세대가 필요하다고 한다. 중국이나 개발 도상국에서는 그 시간이 수백 년이 걸리고 한국, 일본, 영국 등도 거의 5대 이상이 필요하다는 말을 본 적이 있다. 그만큼 경제 계층 간의 이동은 어렵다. 그래서 어느 한 시대 한 사람이 정말 총대를 메고 열심히 해야 한다.

우리는 열심히 산다고 생각하지만 실제로 자세히 보면 그렇지 않은 경우가 많다. 우리의 시간은 유한하다. 하지만 대부분의 시간을 쾌락이나 즐거움에 소비하지 않는가? 그래서 **한 집안에서 누가 총대를 메고 바꾸지 않으면 영원히 가난에서 벗어나지 못한다.**

한국만 보아도 그렇다. 한반도가 역사상 지금보다 잘 산 적이 언제 있었나? 솔직히 말해 지금이 역사상 최고 전성기 시절이 아닌가? 그럼 "누가 총대를 메었나"라고 물어본다면, 나는 우리 부모님 세대와 당시의 지도자 들이라고 말한다.

자유라는 말이 있다. 이 말은 사실상 경제적 자유도 포함한다. 사실 우리 대부분은 돈에 자유롭지 못하다. 하루라도 돈이 없으면 어떻게 되는지 돈이 없어보면 잘 알게 된다. 나는 정말 자유롭고 싶었다. 그런데 이런 자유에는 엄청나게 많은 돈이 필요하다. 우리는 이 사실을 알면서도 돈에 대해서 이야기하면 마치 부도덕한 것처럼 생각하는 경향이 아직도 많다. 가난의 고리를 끊고 자유롭고 싶다는 마음은 일에 대한 강력한 동기부여가 될 수 있다.

핵심개념

~자유에는 많은 돈이 필요하다.
~내가 총대를 메고 가난의 고리를 끊는 집안의 시조(始祖)가 되자.

···
다섯 번째 점, 요코(ようこ)
···

가님, 이제 시작하면 될까요?

남편에 대해서라… 제가 기억하는 남편의 모습 중 가장 강렬하게 남아 있는 기억은 언제나 집에서도 삐삐를 놓지 못하는 모습이었습니다. 며칠 만에 집에 들어와서도 2~3시간을 마음 편하게 쉬지도 못한 채 언제나 쫓기듯 집을 나선곤 했습니다. 언제 울릴지 모르는 삐삐를 불안한 듯 머리맡에 두고 쫓기듯 잠을 청하곤 했지만, 항상 그 시간은 그렇게 길지 않았습니다.

 모든 이들에게 밤은 안식과 휴식의 시간이지만, 남편에게 있어서 밤은 괴로움과 불안의 시간이었습니다. 응급실에 나가 있는 때는 쉬지 못해서 괴로워했고, 응급실 밖에 있을 때는 언제 올지 모르는 호출로 인해 항상 불안감을 안고 살아야 했습니다.

  심지어 샤워를 할 때도 삐삐를 가지고 욕실로 들어가곤 했습니다. 언제인가 머리를 감다가 중간에 뛰어나온 적도 있었지요. 아마도 그 후로부터 남편은 머리를 감는 속도가 매우 **빨라졌습니다.** 샴푸가 흘러내려 눈이 따가운 순간에도 "지금 삐삐가 오면 어떻게 하지"라는 생각을 한다고 하더군요. 그래요. 만성적인 불안감에 시달리는 삶이었다고 정리할 수 있겠네요.

  깊은 새벽녘에 삐삐 소리에 잠에서 깨면 남편은 반사적으로 일어나곤 합니다. 하지만 정작 일어나서는 5분 정도를 멍하니 침대에 앉아 있곤 합니다.

"아, 정말 나가기 싫다."

  어느 날인가 나지막하게 내뱉어진 남편의 고단한 목소리를 들었습니다. 그것은 마치 한숨과 같은 것이었습니다. 내뱉은 말이 아니라 내뱉어진 말이었습니다. 그래요. 사실 남편은 침대에 앉아 매번 5분 동안 **"나가기 싫다. 정말 피곤하다."** 라고 고민했던 것 같습니다. 단 한 번도 예외 없이 남편은 삐삐가 울릴 때마다 스피링처럼 튀어 올랐지만, 단 한 번도 예외 없이 침대에 5분 동안 앉아 있는 습관을 버리지 못했습니다.

  소리는 어떤 물질이 떨리고 그 떨림이 다른 물질을 타고 퍼져 나가는 현상을 말합니다. 공기는 소리를 전달해 주는 대표적인 매질로서 진동이 발생하면 주변의 공기를 떨리게 하고 이 떨림이 공기를 타고 퍼져서 소리가 전달되는 것이죠. 물리적으로는 그렇습니다.

하지만 구급차 사이렌 소리는 청각적인 효과를 불러일으키기보다는 심장에 직접 작용하는 것도 같습니다. 의사가 별 이상한 말을 다 한다고요? 아닙니다. 이건 비과학적인 것이 아니라 경험적으로 그랬답니다. 응급실에서 집이 멀면, 멀어서 힘들지만 가까우면 가깝기 때문에 힘이 듭니다.

남편이 조금이라도 집에 들어와 쉴 시간을 마련하기 위해 대학병원 응급실 옆으로 이사를 했습니다. 세상의 모든 합리적인 결정이 그렇듯이 가끔은 이 합리적인 결론이 매우 비합리적으로 끝나는 경우가 있죠. 우리 부부의 경우, 응급실 가까운 거리로 이사를 간 것이 바로 이런 결정이었습니다.

낮은 삐삐 소리 하나만으로도 충분히 괴로웠는데, 이제는 또 다른 소리까지 더해지고 말았었죠. 밤낮으로 들려오는 구급차의 사이렌 소리로 인해 남편은 더 힘든 나날을 보내야 했습니다. 구급차 사이렌 소리는 남편에게는 삐삐가 올 것이라는 전조와 같은 것이었으니까요. 예고 없이 울려대는 삐삐도 고통스러웠지만, 예고 후에 울려대는 삐삐도 여전히 고통스러웠습니다.

구급차 사이렌 소리가 난 후에 삐삐가 울리지 않으면, 그것은 그것대로 또 괴로운 일이었습니다. 상상하려고 하지 않아도 그 이유에 대해 상상하게끔 되니까요. 심지어 사이렌 소리에 PTSD가 올 정도로 남편의 상황은 악화되어만 갔습니다. 남편이 병원으로 향하는 뒷모습을 볼 때마다 마치 가슴을 부여잡고 나서는 것 같아서 많이 안쓰러웠어요.

 남편은 항상 친절한 사람이었지만, 어떤 면에서는 참 강인한 사람이기도 했죠. 체력적으로도 정신적으로도 힘들어하고 있는 것을 아는데도, 정작 본인은 한 번도 "힘들다"는 말을 입 밖으로 꺼내어 저에게 직접 말한 적은 없었답니다. 다른 사람의 질병에 대해서는 민감하지만 스스로 병 들어가고 있다는 사실에 대해서는 다소 무감각했습니다. 치료하는 현장에서 환자를 직접 대하는 남편과 저의 차이였던 것 같아요.

저는 진단검사의학과 의사였기 때문에 사람을 대하기보다는 질병 그 자체를 대하는 일이 많습니다. 세균, 바이러스, 진균 등의 미생물들을 인체로부터 분리하여 동정하기도 하고, 암세포를 관찰하며 진단하는 것이 제가 하는 일이었으니까요. 영화 같은 데서 보면 막 그렇잖아요. 전투를 벌이는 부대는 따로 있고, 후방에서 지원만 하는 부대도 있지 않나요? 제가 잘 몰라서요. 아마 제가 지원을 하는 부대에 속해 있다면, 남편은 최전선에서 복무하는 군인 같은 느낌이었죠.

 그래서인지 직업적인 습관이랄지 제가 관찰하고 진단한 남편의 상황은 그리 좋지 않았지만, 남편은 마치 아무렇지도 않은 사람처럼 행동하곤 했습니다. 그것이 어떤 마음이었을까요? 아니면 어떤 생각이었을까요?

인터뷰를 잘하고 있는지 모르겠네요. 이상하면 중간에 말씀해 주세요. 작가님.

 저는 여전히 남편이 어떤 마음이었는지 어떤 생각이었는지 다 이해하고 있는 것은 아닙니다만 **"그때는 그래야 했던 것이었을테지"**라고 받아들였답니다. 언젠가 한번 응급실에서 남편을 본 적이 있습니다. 병원 엘리베이터에서 내렸을 때, 바쁘게 응급실로 뛰어가는 남편을 우연히 보게 되었습니다. 정신없이 달려가는 모습에 저도 모르게 남편을 따라 응급실로 향했습니다.

응급실에는 한 청년이 누워있었어요. 굳이 검사를 하지 않아도 한눈에도 예후가 좋아 보이지 않았습니다. 사람들을 분주하게 움직이고 있었습니다. 당시 임시 5개월째였던 터라 행동이 조심스럽게 느렸던 저와는 다르게 모든 사람이 빠르게 움직이고 있었습니다. 저만 다른 세상의 속도로 움직이는 느낌이었다랄까요? 그런데 그중에서도 더 빠르게 움직이는 한 사람이 있었습니다. 바로 남편이었어요.

 그이는 땀으로 범벅된 채로 CPR을 하고 있었습니다. 아, 왜 그 영화 같은 데서 보면 응급한 상황에서 하는 처지 말이에요. Cardiopulmonary Resuscitation의 약자에요. 여러 가지 이유로 심장이나 폐 혹은 뇌의 기능이 정지된 상태에서 시행하는 심폐소생술을 의미합니다.

경험이 많지 않은 선생님들이나 어린 연차의 선생님들이 우왕좌왕하고 있었지만, 남편은 침착하게 처치를 진행하고 있습니다. DOA가 아닐까 싶었지만, 남편은 포기하지 않고 처치를 이어갔습니다.

 아, 자꾸 의학용어가 나오는 걸 양해해 주세요. DOA는 Dead on arrival의 약자로 이미 사망한 상태에서 병원에 도착하는 것을 말합니다. 어쨌든 남편은 좀처럼 포기하지 않았습니다. 그 순간만큼은 생명에 대한 존중이라든지, 히포크라테스라든지 하는 것들을 다 뒤로 하고 앞에 주어진 일이기 때문에, 또 해내야 하는 일이기 때문에, 최선을 다하는 느낌이었죠.

환자를 일로 대하지 않으면, 일을 할 수 없지만, 동시에 내 앞에 있는 환자를 사람으로 보지 않을 도리가 없기 때문입니다. 무디어졌다고 생각하는 순간에도 사람은 또 다른 사람에게 무디어지는 법은 없으니까요. 그래서 아마도 그 환자를 포기하지 못하고 붙잡고 있었던 것은 아닐까요?

 저는 남편의 뒷모습을 보면서 그 모습이 참 애잔하고 가슴이 아팠습니다. 사람은 누구나 내일을 살아가지 않고, 오늘, 여기에서 살아가고 있는 것이겠지요. 남편은 그날 그 자리에서 자신이 해야 할 최선을 다하고 있었고, 그 다시 되돌아오지 못할 순간은 그 자체가 좀 아름다웠던 것 같아요. 남편이 그랬다기보다는 그 시간을 걸어가는 한 사람으로서, 또 한 의사로서 그랬던 것 같아요.

아, 작가님 오늘은 이 정도에서 인터뷰를 마쳐도 될까요? 남편하고 저녁 약속이 있어서 이제 외출할 준비를 해야 할 시간인 것 같아서요. 남편의 자서전을 위한 인터뷰라니 참 별일이 다 있네요. 오늘 제 이야기 들어주셔서 감사합니다. 다음번에는 제가 작가님 작업실로 찾아 뵙도록 하죠. 네, 감사했습니다.

우리는 어떠한
리더가 되어야
할까?

> ···
> 우리는 어떠한 리더가 되어야 할까?
> ···

병원 정원에 고양이 똥을 제일 먼저 치우는 사람, 조직에서 남들이 가장하기 싫어하는 일을 하는 사람, 가장 먼저 출근하고 가장 일을 많이 하는 사람, 가장 실패를 많이 한 사람이 리더다. 한마디로 말하면 리더는 책임감이다. 또한 리더는 강해야 한다. 어떠한 경우라도 조직을 보호하고 유지시키는데 자신의 모든 것을 넣어야 한다.

스모(相撲)를 좋아한다. 처음 보면 이게 무슨 스포츠인가? 비정상적인 몸을 가진 돼지 같은 사람들이 나와서 몸싸움을 하는 것처럼 보인다. 그런데 스모에 대해 공부를 해보면 이야기가 달라진다. 스모 선수들을 리키시(力士)라고 하는데 힘쓰는 사람이다. 그런데 이 힘을 쓰는 사람들이 살 만 찌어서 힘을 쓰는 것이 아니라 하루 종일 운동을 하는 것이다.

특히 다리 힘이 중요하여 다리 근육을 키우는 기본 자세를 "시코(四股)"라고 하는데 이 자세를 하루에 400에서 500번 정도 한다는 것을 보고 무척이나 놀랐다. 사실 스모에서 가장 놀랐던 점은 강함에 대한 존경이다. 스모에서는 나이나 경륜보다 무조건 실력이 우수한 사람이 상위 계급이 된다. 스모의 최상층 계급을 요코즈나(橫綱)라고 하는데 만약에 실력이 뛰어나서 23세에 요코즈나가 된다면 (실제로 그런 경우가 많다) 아무리 나이가 많고 선배라 할 지라도 깍듯하게 대우를 해야 한다.

스모 이야기를 하는 것은 한국 사회에는 **강함이나 탁월함에 대한 존경이 부족**하다는 것이다. 앞에서 말한 대로 리더는 강하고 탁월해야 한다. 거기에 인품이 더해져야 한다고 생각한다. 이런 사람이 리더가 되어야 하는데 우리는 그런 사람을 시기하고 질투한다. 순하고 사람 좋다고 하는 분들이 당장 자기가 보기에는 좋을지 모르나 세상은 냉정하다.

지금의 한국 정치 지망생들을 보아도 암울하기는 마찬가지다. **우리 주위에 정말 탁월하고 똑똑한 사람들 중에 그 누가 정치를 하겠다고 하는가?** 정치병에 걸린 인간들, 나르시시즘(narcissism)에 빠진 연예인 같은 이들, 포퓰리스트(populist)들이 자꾸만 우리의 리더가 된다면 우리나라의 미래는 암울하다.

한 번씩 정말 플라톤(Plato)의 "철인(哲人) 정치"가 옳다는 생각이
든다.

핵심개념

~리더는 강하고 탁월해야 하며 솔선수범해야한다.

~우리 사회는 강하고 탁월함에 대한 존중이 필요하다.

우리는 어떠한 리더가 되어야 할까?

의료사고

병원에서 의료사고가 난 적이 있다. 사실 병원을 하다 보면 작은 사고는 수시로 발생한다. 그런데 큰 사고가 났다. 주사 쇼크 환자였다. 환자는 처음에 호흡이 안 되고 맥박이 잡히지 않아 가까스로 응급처치후에 결국 대학병원까지 가게 되었다. 당시 환자의 생명이 제일 걱정되었고 두 번째가 나의 가족들이었다.

환자 보호자와 응급실에서 날밤을 새며 하루를 보내면서 같이 고생을 했고, 이후 매일 병문안을 했다. 다행스럽게도 결국 환자는 일주일 정도 지나서 호전되어서 퇴원하게 되었다.

그 이후 어떻게 되었냐고? 그 가족들 모두 다 우리병원에 지금까지 잘 다니고 있다. 보통은 그런 의료사고가 발생하면 환자들은 그

병원에 절대 가지 않는다. 하지만 의사의 진심을 알면 그렇지 않다.
리더는 무한 책임감을 가져야하고 진실해야한다고 생각한다.

핵심개념

~진실된 마음은 결국에는 통한다.

···
무소의 뿔처럼 혼자서 가라
···

상 우리병원 직원들에게 "**직원도 내부 고객으로
생각한다**"고 말한다. 환자는 외부고객이다.

나아가서는 **나 빼고 모두가 고객이다**. 와이프, 자식, 부모님도 모두
나에게는 고객이다. 이런 생각에는 부처님께서 열반 때 말씀하신
"무소의 뿔처럼 혼자서 가라"라는 정신이 기반되어 있다. 결국
인생은 자신이 혼자 짊어지고 가는 것이다. 그 누구도 도와주지
않는다. 예를 들어 내가 진짜 아플 때 나의 아픔을 누가 대신 지고
가는가? 부모님? 자식?, 부인? 남편? 아니다. 결국 혼자 가는 것이다.
리더는 이 사실을 명심해야 한다.

한 번씩은 정말 죽도록 힘들 때, 외로울 때도 있다, 리더는 원래
그렇다고 생각한다.

핵심개념

~자신 말고 모든 사람은 고객이다. 무소의 뿔처럼 혼자서 가라.

사업가는 다르다

 업은 문제의 연속이고 문제 해결이 키포인트다.

내가 운영하는 개인업체에서 유산균 생산을 했다. 처음의 목표는 천연부형제를 사용하는 프리미엄 다이어트 유산균을 만드는 것이었다. 부형제는 의약품이나 건강기능식품에서 제품의 형태를 유지하는 필수적인 성분이다. 보통 부형제는 천연과 화학부형제가 있는데 보통 일반적으로 화학부형제를 많이 사용한다.

생산업체와 처음 미팅을 했을 때 나온 성분표는 100% 화학부형제였다. 우리는 100% 천연부형제로 만들고 싶었다. 그래서 시험샘플을 만들었는데 100% 천연부형제로는 도저히 유산균이 뭉치질 않는다는 것이었다.

그래서 천연부형제에다가 화학부형제 중에 제일 문제가 많은 HPMC(HydroxyPropylMethyl Cellulose)를 빼고 진행함으로서 해결되었다. 이렇게 작은 유산균을 하나 제작하는데도 여러가지 문제가 발생한다. 그리고 제품 표면 이름에 무엇은 되고 무엇은 안되고 하는 식약청의 조건도 매우 까다롭다.

그리고 상표 출원 문제도 변리사와 미리 상의해야 된다. 그러면 끝나느냐? 아니다. 마켓팅을 해야한다. 네이버, 쿠팡에 입점해야하고 제품 상세페이지도 만들어야하고 오프라인 판매도 해야한다.

사업은 종합예술이다. **자기 새끼를 낳아서 키우는 심정으로 모든 열정과 노력을 여기에 쏟아부어야 하는 것**이다. 그래서 사업가는 아무나 하는 것이 아니다. 아무나 하는 것이 아니니까 성공하면 대박이 나는 것이다. '교수는 자기만 좋고, 의사는 마누라와 자식이 좋고, 사업가는 잘되면 3대가 좋다'라는 말이 결코 빈말은 아니다. 리더는 자기만 생각하면 안되고 3대 이상을 생각해야 한다.

핵심개념

~사업은 문제 해결의 연속이다.
~사업은 아무나 하는 것이 아니라서 어렵지만 그만큼 보상이 따른다.

> ···
> 착한 마음인가, 다른 욕심은 없는가
> ···

는 항상 어떤 일이나 사업을 진행할 때 '**착한 마음인가, 다른 욕심은 없는가?**'라고 나에게 묻는다.

사실 이 책을 쓰려고 한 것도 처음부터 출판을 목적으로 한 것이 아니었다. 나의 아들, 딸 그리고 미래의 자손들에게 아버지가 할아버지가 어떻게 살았고, 어떤 생각을 했는지 꼭 글로 남기고 싶었다. 그리고 한번 정리해보자는 마음으로 이 글을 쓰게 되었다.

나는 사실 우리 부모님이나 그 위에 조상들이 후대를 위해 자신의 생각을 솔직히 적어서 남겨 주었으면 얼마나 좋았을까하는 생각을 어릴 때부터 했었다.

그리고 내가 시조(始祖)가 되어보기로 했다. 그래서 이 책을 쓰기로 했을 때도 나에게 물었다. '착한 마음인가, 다른 욕심은 없는가?' 나의 답은 '없다'였다.

그러면 하면 된다. 나는 우리 아들과 딸도 미래에 자신의 생각을 자신의 아래 세대에게 꼭 글로 남겼으면 한다. 리더는 항상 착한 마음이고 욕심이 없어야 한다. 그리고 착한 마음을 지니고 사심이 없으면 리더가 될 수밖에 없다. 나는 이것이 우주의 원리라고 생각한다.

핵심개념

~"착한 마음인가, 다른 욕심은 없는가" 이 두 가지를 일을 시작할 때 항상 자신에게 물어보자.
~자신의 생각을 글로 남겨보자.

···

건축

···

건물 한번 지을 때마다 10년은 생명이 줄어든다는 말이 있다. 진짜 맞는 말이다. 건축판에서 철근 빼먹기는 원래 유명한 일이다. 철근만 빼먹냐하면 부품이나 시멘트 원산지 바꾸는 것도 비일비재하다. 예를 들면 철근을 도면상에서는 포스코(Posco)제를 쓰기로 해놓고 실상은 중국제를 쓰고, 시멘트도 국산으로 도면에 올려놓고 중국제를 쓰는 것이다.

그래서 건축할 때는 모든 일에 일일이 다 신경을 써야한다. 어떻게 아느냐고? 내가 병원 건축을 해보니까 그렇더라. 한국에서 건축만큼 후진적인 시스템은 없다고 생각한다. 그런데 걱정은 갈수록 더 후진적일 것 같다. 왜냐하면 힘든 건축판에서 일할 인력이 점점 더 없으니 말이다.

병원 건물 지을 때 한 마음고생은 이루 말할 수 없다. 결국 다 돈 문제에 해당되는데 인생에서 생기는 문제들이 결국 돈 문제로 귀결되는 것이 참 많다. 리더는 거칠게 크게 볼 줄도 알아야 하지만 꼼꼼하고 세심하게 볼 줄도 알아야 한다.

핵심개념

~리더는 일을 크게 볼 줄도 알아야 하지만 항상 꼼꼼하게 살펴야 한다.

~건축은 상당히 신경이 많이 쓰이는 작업이다.

> ...
> 여섯 번째 점, 요코(ようこ) の 日記
> ...

1

995년 2월 16일

학교 개강을 앞두고 분주한 하루하루를 보냈다. 정말 바쁘게 보낸 작년 한 해였지만 이제 본과 3학년에 올라가게 되면 아마도 더 바쁜 나날들을 보내게 될 것이 분명하다.

이런 싱숭생숭한 마음을 가지고 지하철역에서 내릴 때, 데넌 군을 멀리서 보게 되었다. 함께 듣는 수업들이 많긴 했지만 그렇다고 해서 그렇게까지 가까운 것도 아니라서 그의 성격을 잘 안다고까지 말할 수는 없지만, 왜인지 모를 위화감이 느껴졌다. 뭐랄까 작년까지는 좀 숙맥처럼 느껴지는 이미지였다면, 오늘은 멀리서 보아도 좀 활달해졌다랄지 경쾌해졌다랄지 조금 다른 분위기가 느껴졌다.

원래 데넨 군이 저런 성격이었나 싶은 마음이 잠시 들었지만 그렇다고 해서 큰 관심이 가지는 않았다. 다른 사람들 눈에는 나도 조금 달라졌다고 느낄 수 있기 때문이다. 오래오래 길러왔던 긴 머리를 조금 정리했기 때문에 다른 사람들이 나를 이상하게 여기지 않을까 싶어 하루 종일 신경이 쓰였다.

다른 사람 눈에는 나에게도 무엇인가 변화가 일어난 것처럼 보이지 않았을까? 오늘 저녁에는 모처럼 모츠나베를 가족과 함께 맛있게 먹었다. 역시 몸이 으슬으슬 추울 때는 모츠나베 만한 것이 없는 법!

1995년 3월 3일

오늘 우연히 오호리공원역(大濠公園駅)에서 데넨 군을 만나게 되었다. 지난 1년 동안 별 관심이 없었기 때문에 모르고 지냈는데, 알고 보니 데넨 군의 집도 이 인근이어서 항상 역을 이용한다고 했다.

아마도 몇 번인가 마주쳤던 것도 같지만, 지나가면서 인사만 나누었던 터라 크게 기억에 남는 일은 없었다. 조금은 분위기가 바뀐 것 같다고 말을 건넸더니 데넨 군은 방학 동안 유럽에 배낭여행을 다녀왔다고 했다. 모처럼의 방학을 여유 있는 시간으로만 한껏 채워냈던 내가 잠시 부끄러웠다.

데넨 군은 유럽의 이곳저곳에 대해 이야기하면서 한껏 들뜬 모습으로 만났던 사람들에 대해 이야기해 주기 시작했다.

 여행 도중 아팠을 때기 가장 힘이 늘었다고 말하면서 아프니까 영어가 술술 나오더라는 흥미로운 이야기까지 덧붙였다. 여행을 하면서 다양한 친구들을 만나다 보니 자신의 성격도 조금은 외향적으로 바뀐 것 같다고 스스로의 변화에 대해서도 자평하는 모습은 매우 흥미로웠다. 뭐랄까 이전과는 다르게 말을 참 잘한다 싶은 느낌이 들었다.

 큐슈대병원역까지는 지하철로 30여 분 거리에 불과했기 때문에 많은 이야기를 나누지는 못했지만, 이전보다는 조금은 편안한 느낌이 된 것도 같았다. 여행에 대한 이야기를 들어서인지 나도 모를 낯선 세계, 낯선 사람에 대한 동경이 조금은 든 것 같다.

1995년 3월 17일

 며칠 전 역사에서 데넨 군을 만났던 탓인지, 나도 모르게 역사로 들어서면서는 데넨 군을 눈으로 찾고 있었다. 오늘은 만나지 못했지만, 내일이나 모레에는 만날 수 있을까? 새롭게 시작한 학기는 또다시 나를 정신없이 몰아가고 있다.

 몇 정거장 떨어져 있지 않지만 학교와 이곳 오호리 공원은 시간의 속도가 다르다. 일부러 삶의 속도를 늦추기 위해 후쿠오카시 미술관도 가끔은 찾아준다. 한동안 찾지 못했지만, 이번 주 느낌이라면 속도를 한번 늦춰줄 필요가 있을 것 같다. 물론 '카페 테루'(Cafe 照)에도 들려줘야겠지.

1995년 3월 29일

생각하지도 못했던 장소에서 데넨 군을 만났다. 며칠 전부터 솔솔 생각나던 미술관을 들려서 한껏 나의 시간을 늦춘 뒤에 이 느린 시간을 즐기기 위해 '카페 테루'를 찾았다. 사실 '카페 테루' 그 자체가 특별한 것은 아니지만, 오호리 공원 안에 있는 '카페 테루'는 조금 특별하다.

테라스 밖으로는 공원 주변을 뛰는 부지런한 사람들이 눈에 들어왔지만, 나는 운동에 있어서만큼은 그렇게까지 부지런한 사람은 아니다. 커피를 기다리는 동안 뛰어가는 사람들을 눈으로 구경하고 있었다. 그때, 한켠에 앉아 있는 익숙한 얼굴이 눈에 들어왔다. 데넨 군이었다. 그는 가벼운 차림으로, 매우 가벼워 보이는 책을 읽고 있었다.

가까이 가서 보니 이바라기 노리코 선집이었다. 이바라기 노리코의 모든 시를 좋아하는 것은 아니었지만, '행방불명의 시간'만큼은 읽은 순간부터 지금까지 간직하고 있는 시 중 하나였다.

인간에게는
행방불명의 시간이 필요합니다
이유를 설명할 수는 없지만
그렇게 속삭이는 무언가가 있습니다

삼십 분도 좋고 한 시간도 좋고

멍하니 혼자

외따로 떨어져

선잠을 자든

몽상에 빠지든

발칙한 짓을 하든

전설 속 사무토 할머니처럼

너무 긴 행방불명은 곤란하겠지만

문득 자기 존재를 감쪽같이 지우는 시간이 필요합니다

나에게 필요한 만큼의 행방불명의 시간은 언제나 오호리 공원을 걸으면서 혹은 여러 미술작품들을 천천히 감상하면서 이루어지곤 했었다. 지금, 오늘, 이 장소에 참 적당한 시였다.

데넨 군도 유럽 여행이 스스로를 위한 행방불명의 시간이었던 것일까? 나는 그의 옆모습을 보고 있었지만, 그는 시집에 눈을 고정한 채 다른 곳을 두리번거리지는 않았다. 왜인지 모르겠지만, 그 모습이 얄미워서 커피를 들고나와 나는 재빠른 시간 속으로 걸어 들어갔다.

1995년 4월 7일

요즘 내게는 오호리 공원 외에도 나의 시간의 속도를 마법처럼 느리게 만드는 그런 시간이 생겨나게 되었다. 오늘은 데넨 군과 개나리가 활짝 핀 길을 지나 '카페 테루'에서 함께 책을 읽었다. 물론 책을 읽는 것과 같은 한가한 시간이었다기보다는 시험을 위한 공부였던 터라 느리지도 그렇다고 빠르지도 않은 어떤 애매한 시간 즈음을 보냈던 것 같다.

이 애매함은 시간이나 장소 때문이었던 것일까? 혹은 사람 때문이었던 것일까? 활발해졌다지만, 도대체 무슨 마음인지 알 수 없는 데넨 군은 오늘도 왠지 얄미웠다.

1995년 4월 25일

오늘은 조금은 특별했던 날, 오늘은 조금 늦은 시간 일몰이 다 지난 시간에 호수 주변을 걸었다. 호수 주변에 조명이 켜지기 시작했고 언제나 그렇듯이 한적하고 단아하지만 슬프고도 아름다운 느낌의 이곳은 익숙해져도 특별하다.

꽃길을 지나 도착한 약속 장소에서 나는 데넨 군에게 특별한 선물을 받았다. 꽃이었다. 그리고 작은 엽서에 쓰여 있는 이바라기 노리코의 **わたしが一番きれいだったとき**가 눈에 들어 왔다.

내가 가장 예뻤을 때

거리는 와르르 무너져 내려

생각지도 못한 곳에서

푸른 하늘 같은 것이 보이곤 하였다

わたしが一番きれいだったとき

街々はがらがらと崩れていって

とんでもないところから

青空なんかが見えたりした

내가 가장 예뻤을 때

주위 사람들이 무수히 죽었다

공장에서 바다에서 이름도 없는 섬에서

난 멋 부릴 기회를 놓치고 말았다

わたしが一番きれいだったとき

まわりの人達が沢山死んだ

工場で　海で　名もない島で

わたしはおしゃれのきっかけを落としてしまった

내가 가장 예뻤을 때

아무도 다정한 선물을 건네주지 않았다

남자들은 거수경례밖에 모르고

해맑은 눈길만을 남긴 채 모두 떠나갔다

わたしが一番きれいだったとき

誰もやさしい贈り物を捧げてはくれなかった

男たちは挙手の礼しか知らなくて

きれいな眼差だけを残し皆（みな）発っていった

내가 가장 예뻤을 때
내 머리는 텅 비어 있었고
내 마음은 굳어 있었고
손발만이 밤색으로 빛났다
わたしが一番きれいだったとき
わたしの頭はからっぽで
わたしの心はかたくなで
手足ばかりが栗色に光った

내가 가장 예뻤을 때
난 몹시도 불행했고
난 몹시도 엉뚱했고
난 무척이나 쓸쓸했다
わたしが一番きれいだったとき
わたしはとてもふしあわせ
わたしはとてもとんちんかん
わたしはめっぽうさびしかった

그래서 결심했다 가능하면 오래 살기로
나이 들어 무척 아름다운 그림을 그린
프랑스의 루오 할아버지처럼 말야
だから決めた　できれば長生きすることに
年とってから凄く美しい絵を描いた
フランスのルオー爺さんのように　ね

꽃길을 지나왔는데 꼭 서묵이라니 조금 느낌이 특별했시만, 하필 이바라기 노리코의 "내가 가장 예뻤을 때"라니 느낌이 조금 이상했다. 데넨 군은 시 속의 남자들처럼 내가 가장 예뻤을 때를 놓치고 싶지 않아서라고 말했지만, 이것은 고백인지 아니면 문학적 교류인지 순간 알 수 없었다.

하지만 꽃을 보아서는 고백인 것이 분명했고, 그래서 나는 데넨 군의 고백을 받아들이기로 마음먹었다. 나이 들어 무척 아름다운 그림을 그리고 싶은 것은 아니었지만, 느린 속도 속에서 함께 나이 들어가는 것이 꽤나 잘 어울릴 것 같았다. 나만의 상상이라 해도 누가 뭐라 할 사람도 없으니 말야.

꼭 기억해 두자. 앞으로는 행방불명될 일만 남았을지도 모르니까.

술, 담배

술. 담배를 안 한다. 어릴 때부터 아버지께서 담배를 피지 않은데다 담배 냄새가 무척 싫었다. 또한 내과 의사라서 담배의 중독성 및 해악성을 너무도 잘 알기도 하기에 안한다. 술은 진료 때문에 안하게 되었는데 매일 진료를 봐야 하는 병원 특성상 술을 먹게 되면 몸이 너무 피곤하고 힘들었다. 그리고 내 몸이 피곤하여 자칫 잘못하면 환자 진료에 실수를 할 수 있기 때문에 이제는 습관이 되어 안 한다.

대신에 나는 걷기와 수영을 정말 좋아한다. 수영은 거의 25년동안 매일 했는데 그렇다 보니 실력이 거의 선수급이다. 요즈음은 걷기를 주로 하는데 내 생각에는 걷기가 참 좋은 운동이다. 주로 걸으면서 오디오북으로 책을 듣는데 내 사업의 아이디어 대부분이 걸으면서 책을 들을 때 나온 것 같다.

한 연구에 따르면 사람이 걸을 때 생각하면 창의적 생각이 가장 많이 나온다고 하는데 이 말은 정말 사실인 것 같다.

핵심개념

~건강관리의 핵심은 나쁜 것을 안 하는 것이다.
~창의적 생각이 필요하면 걸어보자.

상처를 주지 않는 부모

"어제 네가 말해줬던 지난 일들에 대해서 아빠가 미안하고 사과해. 지난날 아빠에게 상처를 준 사람들도 지금의 나 같을 수 있겠다는 생각을 하며 성찰할 기회를 준 것에 대해서도 감사해. 어제 이후로 그 사람들을 용서하기로 했어. 마지막으로 아빠는 항상 네가 잘되고 건강하기를 바라는 사람이야. 지금까지 훌륭하게 자라준 것에 대해 항상 감사하고 있어. 표현력이 부족한 남자인 것도 좀 이해해 줬으면 해"

어느 날 딸과 지난 일들로 다투고 나서 그다음 날 내가 보낸 문자다. 어느 부모든 자식이 상처를 받지 않고 자라길 원한다. 하지만 자식에게 가장 큰 상처를 주는 것은 가장 가까운 사람, 즉 부모일 경우가 많다.

어릴적 자식의 입장에서 보면 부모는 거의 절대적 존재이고 도덕적으로 완벽해야 한다고 생각되지만, 시간이 지나고 나서 자신도 부모가 되어보면 '부모도 상처가 많은 나같은 미숙한 인간이었구나' 하고 느끼게 된다. 그래서 우리는 부모를 어떤 것은 반면교사로 삼고 어떤 것은 멘토로 삼아야 한다. 부모로부터 상처를 전혀 받지 않고 크더라도 결국 우리는 사회화 과정에서 외부로부터 누군가에 의해 상처를 받게 된다. <u>평생 상처를 받지 않고 사는 인간은 이 세상에 그 누구도 없다.</u>

우리는 그래서 항상 상처를 치유하는 과정에 있다. 지난 일로 상처받은 것을 지금 용서하더라도 그 상처가 아무는 것은 시간이 꽤 걸린다. 누구나 그렇다. 나에게 상처를 준 누구도 누군가에게 상처를 받았던 사람임을 기억하자.

핵심개념

~우리 모두는 상처가 많은 미숙한 인간들이다.
~우리는 항상 상처를 치유하는 과정에 있고 그 상처가 치유되면 더 단단해진다.

> **⋯**
> 자신도 모르는 성향들
> **⋯**

요즈음은 아니지만 지난날 아버지가 어머니를 오랫동안 못마땅해한 적이 있다. 내가 볼 때는 아무 일도 아닌 일이고 여성들의 일반적인 성향인데 부인에 대한 기대치가 높았던 것 같다. 그래서 하루는 내가 "그런 수준있고 완벽한 여자가 왜 아버지랑 결혼하겠느냐?"고 심한 말도 한 적이 있다.

아버지가 네 살 때 당신의 어머니(나의 할머니)가 돌아가셨다고 한다. 그렇니 어머니의 얼굴도 모르고 평생을 사신 것이다. 그러한 결핍이 여성에 대한 과도한 기대 즉, 부인에 대한 이상이 생겨서 어머니께 그러는 것으로 나는 추측했다. 그래서 나는 어릴 때의 경험이나 결핍이 중요하다고 생각했다.

하지만 스위스 정신과 의사인 칼 구스타프 융(Carl Gustav Jung)의 정신분석학에 따르면 그것이 전부는 아니었다. 융에 따르면 '자신이 잘 이해가 되지 않는 분노나 불안은 자신의 잘못이 아니라 사실 부모의 분노나 불안이 내려온 것'이라고 설명한다. 자신의 경험이나 결핍도 중요하지만 부모로부터 받는 것도 중요하다는 것이다. 그래서 곰곰히 생각해보았다. 나는 어려서부터 특별히 할머니들이 좋았다. 지금 병원에 오시는 분들도 편애하는 것은 아니지만 할머니들을 훨씬 좋아한다.(직원들도 인정한다) 어머니도 있고 결핍도 없는 내가 아무리 생각을 해봐도 할머니들을 더 좋아하는 특별한 이유가 없었는데 아버지와 연결지어 보니 조금 이해가 되었다.

우리의 어찌할 수 없는 분노나 불안들이 내가 잘못해서 생긴 것이 아니라 윗 세대로부터 받은 것이라고 생각하면 마음이 조금 편하다. 모든 것들이 자신의 상처나 경험으로 인해서 발생한 것은 아니기 때문이다. 그냥 내 성향을 바라만 보자. 그리고 깨닫고만 있으면 된다.

핵심개념

~자신의 보기 싫은 성향들이 자신의 상처나 경험에 의해서만 생기는 것은 아니다.
~내 성향을 깨닫고만 있자.

· · ·

페미니즘과 미친년

· · ·

점은 세대에서 남녀 간의 갈등이 심각하다. 남자 입장에서는 여자들의 권리가 너무 쎄서 오히려 여자들에게 피해감을 느끼는 정도이고, 여자 입장에서는 지금까지 착취 되어왔던 여성의 권리를 찾고 하나의 독립된 성(性)으로 존재하고 싶은 욕망이 충돌한다. 나도 아들, 딸을 키워본 입장에서 두 성(性)간의 생각에 충분히 공감을 한다.

역사적으로 보면 사회가 획일적이고 힘든 일이 닥칠 때마다 항상 미친년이 등장한다. 중세 유럽에서는 흉년이 들거나 전쟁이 발발하여 사회가 빈곤해지면 어김없이 마녀사냥이 등장했다. 우리나라도 항상 힘든 일이 발생하면 착취의 대상은 여성이었다.

 병자호란 패전 이후 청나라에 바쳐진 공녀들 그리고 그녀들을 환향녀(還鄕女)라고 부르며 미친년처럼 멸시한 부끄러운 남자들은 우리의 아버지요. 비참하게 살다가 죽어간 그녀들은 우리의 어머니였다.

사실 페미니즘이 발생한 것은 이러한 역사적인 일들의 축척에 의해서 생긴 것이라고 생각한다. 앞에서도 말했듯이 우리의 성향들은 우리의 경험이나 상처도 있지만 부모 세대의 상처도 있기 때문이다. 그러니까 이러한 여성들의 오랜 상처와 피해가 누적되고 여성들의 교육 수준이 올라가면서 나타나는 것이 페미니즘인 것이다.

 나는 당연한 것이라고 생각한다. 하지만 요즈음 우리 사회에서 정당한 페미니즘마저 미친년으로 취급하려는 분위기가 있어서 조금 우려스럽다. 이러한 현상에서 나는 지금 우리 사회가 많이 힘들구나라고 느낀다. 남녀 간의 이해와 공감이 필요하다.

핵심개념

~사회는 힘들면 항상 미친년을 만든다.
~남자는 여자를, 여자는 남자를 조금씩만 서로 이해하고 공감하자.

> · · ·
> 위대한 생존자들을 칭찬하며
> · · ·

병원 특성상 장애인을 많이 보는 편이다. 그런데 이들과 이야기를 해보면 내면에 죄의식을 가지고 있는 경우가 많다. 항상 주위의 도움을 받아야 하는 상황에 대한 미안함과 더불어 심지어 부모의 이혼, 가출, 싸움까지 자신으로부터 비롯되었다고 생각한다. 그리고 자신에 대해서는 분노의 감정이 많다. 어떤 경우에는 자신에 대한 분노의 감정을 상대방에게 투사하는 경우도 많이 보인다.

나도 어릴 때 앓았던 류머티스 관절염의 후유증으로 인해 지체장애 6급으로 등록되어 있다. 내과 의사를 하면서 느끼는 것이지만 몸이 하나도 안 아프고 평생 건강한 사람은 절대 없다. 어느 한 군데는 반드시 약하고 그 약한 부분을 어떻게 관리하느냐가 건강의 핵심이라고 생각한다.

 또한 모든 사람은 누구나 장애인이 될 수 있다. 결국 죽는 것 자체가 장애의 결정판이 아닌가? 초등학교 때 같은 반에 소아마비 친구가 있었는데 친구들과 함께 놀렸던 기억이 있다. 지금 생각하면 철이 없었던 행동이었고 그 친구에게 너무 미안하다.

다시 만난다면 꼭 사과하고 싶다. 그 친구의 꿈이 의사였고 나도 장애인이 되었다. 장애인도 성폭력 피해자도 전쟁에서 부상당한 군인들도 모두 다 위대한 생존자들이다. 그들이 죄의식을 가질 필요는 전혀 없다. **그대들이 그대로 살아 있음을 정말 칭찬하고 싶다.**

핵심개념

~누구나 장애인이 될 수 있다. 위대한 생존자들을 칭찬하자.

진정한 젊음이란 무엇일까?

진정한 젊음이란 무엇일까?

 정한 젊음이란 무엇일까? 나는 두가지라고 생각한다.

첫째는 영혼이 젊은 것이다.

우리는 젊다고 하면 신체적, 육체적 젊음을 생각하게 되는데 나는 정신 즉 영혼이 젊어야 진정하게 젊은 것이라고 생각한다. 우리나라는 어릴 때 입시에 대한 과다한 교육으로 인해 학생들이 고등학교를 졸업하고 대학교에 입학할 쯤이 되면 거의 번아웃(burn out) 상태가 된다. 영혼의 조로현상(早老現象)이라고 할까? 내가 만나는 젊은 환자들의 대부분은 우울하고 화가 나 있다. 아마도 자신의 미래가 불안하고 힘들기 때문일 것이다.

이것은 사회적 문제이기도 하여 기성세대인 우리 세대의 책임도 상당히 있다고 생각한다. 이것의 연장선에 결혼율과 출산율의 하락이 있다. 이것은 기존의 교육 문제와 우리나라 산업구조의 개선이 동반되어 양질의 직업의 늘어야만 서서히 해결될 것으로 생각한다. 그리고 영혼이 젊으려면 먼저 항상 감사하는 마음을 갖는 것이 중요하다. 감사하는 마음을 가져야 긍정적인 에너지가 나오고, 긍정적인 에너지가 영혼을 지배하는 것이, 영혼이 젊은 것이다.

둘째는 계속 성장하는 것이다.

사람이 우울하게 되는 것은 보통 자신의 한계를 깨닫거나 한계를 지어버릴 때 발생한다. 다시 말하면 자신이 성장이 안 되면 우울해진다. 그래서 50대 이후의 남자들이 '술을 먹어야만 살 수 있는 사람과 술 없어도 살 수 있는 사람'으로 나누어진다고 하는데, 자신의 성장이 안 되는 사람들은 술 없이는 살 수가 없는 상태가 되기 때문이다. 성장을 하려면 계속 노력해야한다.

자신의 성장은 야구 시청이나 넷플릭스, 술에 있지 않다. 실질적으로 자신에게 지금 당장 가장 필요한 일들을 해야한다. 앞에서 말한 독서처럼 말이다. 나아가서는 독서조차도 오락처럼 하지말고 무엇이 자신에게 가장 도움이 되는지를 생각하고, 지금 당장 필요한 것들에 대해 독서를 해야 한다. 우리는 시간의 중요성에 대해 정말 간과하고 있는데 사실 자신의 성장을 위한 시간이 그렇게 많지 않다.

핵심개념

~ 진정한 젊음이란 영혼이 젊은 것이다

~ 진정한 젊음이란 끊임없이 성장하는 것이다.

진정한 젊음이란 무엇일까?

···

워커홀릭

···

"죽을 때까지 일할 것이다." 이런 말을 하는 나를 보고 사람들은 워커홀릭(workaholic)이라고 한다. 솔직히 말하면 한 번씩 쉬는 주말에도 일하고 싶은 생각이 들 정도이다. 주위 사람들은 '뭐 하러 그렇게 힘들게 사냐'고 하지만, 나는 그렇지 않다. 왜냐하면 자기가 좋아서 하는 일은 전혀 힘들지 않기 때문이다.

지금 이렇게 글을 쓰는 것도 만약에 누가 시켜서 하는 일이면 싫겠지만, 자기가 좋아서 하는 일이니까 즐겁게 할 수 있는 것이다. 우리 병원에 취미로 동호회 주말 야구하는 환자분이 있다. 이분은 매주 금요일 야구하기 전에 와서 주사나 항염제를 가끔씩 받아 간다. 일종의 도핑인데, 이분 동료들도 소개로 몇 분이 와서 단골 환자가 되었다.

이분들의 야구에 대한 열정은 정말 대단하다. 한여름 40도 더위에도, 영하의 날씨에도 야구를 쉬는 법이 없다. 심지어 비가 와도 심하게 내리지 않는 한 야구를 한다고 한다. 내 생각에는 눈 오는 날도 할 것 같다. **자기가 좋아서 하는 일은 절대 싫지 않다.**

핵심개념

~ 자기가 좋아서 하는 일은 워커홀릭이 될 수밖에 없다.

파이어족

우리는 파이어(Financial Independency Retire Early)족을 '젊을 때 빨리 많은 돈을 벌어서 평생 일하지 않고 편하게 사는 사람'으로 생각한다. 하지만 실상은 그렇지 않다. <u>요즈음 말하는 파이어족은 사실상 노후에 나스닥(Nasdaq), 코스피(KOSPI)에 종업원이 되는 것과 유사하다고 나는 생각한다.</u>

만약에 주식 시장이나 부동산 시장이 폭락하게 되면 거지가 되는 것이다. 회사 잃은 실업자처럼 말이다. 주식이나 부동산이 계속 우상향한다는 법은 어디에도 없다. 직장만 다니지 않는다는 것이지 나스닥이나 코스피에 목메고 있는 것은 직장인과 같지 않은가?

이전에 파이어족을 외치고 은퇴했던 사람들의 후기를 보면 대부분 다시 돌아와 있다. 사람이란 몇 달 쉬다 보면 다시 일하고 싶다. 쉬는 것, 취미생활도 하루 이틀이지 계속 쉬다 보면 우울해진다. 자기 성장이 없다면 사람은 우울해지고 일찍 늙는다. 그래서 나는 재정적으로 독립이 가능해도 일은 계속 해야 한다고 생각한다. 심지어 자신의 생활비를 줄이면서 그것을 경제적인 독립이라고 주장하는 것은 말이 안되는 것이다. 진정한 자유는 그런 것이 아니다.

핵심개념

~일이란 인간의 인격을 완성시키는 제일 중요한 수단이며 그 이상의 것이다.

···
일곱 번째 점, 야나이 やないただし
···

써 30년도 넘은 일이다. 6년 동안 함께 오호리 중·고등학교를 다녔지만, 고등학교 3학년이 되어서야 데넨과 같은 반이 되었다. 같은 학교를 다녔어도 서로 다른 반이었던 탓에 교류가 없었고, 우리 집은 오호리 공원 남쪽으로 롯폰마쓰역 쪽에 가까운 거리에 있었지만 데넨의 집은 호수 반대편인 오호리공원역 쪽이다 보니 함께 하교할 일도 그리 많지 않았던 탓도 있었다.

의대에 진학하기 위해서 특별한 교우관계를 맺기보다는 공부에 몰두하고 있었던 시기였다. 교우관계를 뒤로할 정도로 열심히 했던 탓인지는 몰라도 언제나 나의 성적은 톱클래스를 유지하고 있었고, 보다 정확하게 말한다면 지난 5년간 전교 수석을 놓친 일은 단 한 번도 없었다.

데넨은 꽤 이상한 친구였다. 의대에 진학하겠다는 생각은 나와 같았지만, 내가 보기에 의대에 진학하기에는 체력적인 한계가 너무 분명해 보였기 때문이다. 항상 병약해 보이는 데다가 체육 시간에는 심지어 몸이 아파서 체육활동에도 참여할 수 없을 정도로 건강과 체력이 동급생들 중에서도 떨어지는 쪽에 가까웠다. 그럼에도 불구하고 수업 시간에 보여주는 집중력이 상당했기 때문에 학기 초가 지나자 자연스럽게 가까워질 수 있었다.

언젠가 한 번은 학교 앞에서 데넨이 아버지의 차에서 내리는 것을 본 적이 있었다. 내가 그날은 기억하는 이유는 데넨이 내렸던 차가 일반적인 승용차가 아니라 트럭이었기 때문이다. 아버지의 차를 타고 등·하교를 하는 것은 낯선 광경은 아니지만, 승용차가 아닌 트럭을 타고 등·하교 하는 일은 좀처럼 흔한 광경은 아니었다.

어쩌면 잠시 생각하고 지나쳤을 일이 기억 속에 분명하게 남은 데는 데넨이 다리를 다쳤던 사건이 있었다. 평소 체육활동에는 잘 참여하지도 않는 친구였지만 그날따라 축구에 나섰고, 그날따라 열정적이었던 탓에 하필이면 같은 공을 노리고 상대방의 골대 앞에서 보기 좋게 데넨과 나는 충돌해 버리고 말았다. 그리고 약간의 통증만 남은 나와는 다르게 불행하게도 데넨은 다리에 깁스를 해야 했다.

"데넨 군, 오늘부터 하교는 우리 아버지 차를 타고 함께 하는 것이 어떨까?"

"야나이 군, 그렇게까지 미안해할 필요는 없다구. 같은 공을 보고 함께 뛰었을 뿐이지 야나이 군이 특별히 잘못한 건 없잖아."

"그래도 나 때문인 깃 같아서 마음이 배우 불편해서 그래."

"아버지께서 픽업을 오실 테니까 염려하지 않아도 될 것 같은데…"

"아니, 오해는 하지 말고 들어주길 바래 데넨 군. 깁스까지 한 다리로 트럭을 이용해서 하교하는 것은 좀 불편하고 어렵지 않을까? 반대편이긴 하지만 그리 멀지 않으니 우리 아버지 차를 타고 가는 게 더 좋을 것 같은데…. 이미 아버지께 부탁해서 허락도 받아 놨다구."

"야나이 군 아버님께서는 교수님이셔서 매우 바쁘신 것으로 알고 있는데, 하루 이틀도 아니고 다리가 다 나을 때까지라는 것은 좀 어렵지 않겠어?"

"데넨 군은 참 그게 문제야. 몸이 불편하면 그냥 잠시 모르는 척하고 신세를 져도 되는 거라구. 게다가 나는 친구잖아. 친구끼리는 눈치를 볼 필요가 없단 말야. 오늘부터 깁스 풀 때까지는 내 마음이 편해지기 위해서라도 나와 함께 하교하는 것으로 결정!"

결국 깁스를 풀 때까지 아버지의 차로 함께 하교를 했고, 사실 이 기간이 데넨과의 우정이 더 깊어지는 계기가 되었다. 결국 목표했던 대로 나는 도쿄대로 데넨은 큐슈대로 의대에 진학하게 되었다. 같은 공을 따라갔지만, 서로 다른 골대에 도달하게 되었다랄까 혹은 같은 골대에 도달하게 되었다랄까.

데넨과의 사이에서 경쟁이나 승부 같은 것은 크게 없었다고 기억하지만, 결과적으로는 둘 다 목표점에 이르렀기 때문에 그렇게 생각하는 것이 아닐까 하는 생각도 가끔 든다. 그 시절의 데넨과 나는 무엇보다도 좋은 친구 사이였다.

하지만 딱 한 번, 딱 한 번 데넨이 나를 앞질렀던 적이 있었다. 중학교 시절부터 6년 동안 한 번도 일어나지 않았던 일이 고3 마지막 기말고사 때 일어났다. 나는 평소와 다름없이 침착하게 시험을 치렀기 때문에 성적에 특별한 변화가 일어날 것이라고는 생각하지 않았다.

그런데 그날따라 데넨은 평소의 기운 없는 모습이 아니라 무엇인가 열정적인 패기 같은 것이 느껴졌다. 데넨의 열정 탓이었을지도 모른다. 함께 뛰었던 축구에서는 데넨의 다리가 부러졌었지만, 고등학교 생활을 마감하는 이 마지막 시험에 이르러서는 결국 골대 앞에서 나는 실점을 하고 말았고, 데넨은 내가 놓친 공을 제대로 보았던 것 같다.

어쩌면 완벽했을 나의 6년 마지막 시험에 데넨이 있어 더 완벽해졌는지도 모른다. 어쨌든 마지막 기말고사 나의 성적은 전교 2등이었다.

> ···
> 일하다가 죽는 것
> ···

레지던트 할 때부터 생각한 것이지만 나중에 중환자실에서 인공호흡기를 꼽고 링거를 주렁주렁 달고 죽고 싶지는 않았다. 평소에 나는 **"병원에서 일 하다 죽을 것이다"** 라고 가족들에게 말한다. 여기서 '일 하다'라는 말이 중요하다. 가족들이 처음에는 이상하게 보다가 요즈음에는 그러려니 하는 반응이다.

죽음에 대해서 존경하는 분이 한 분 있다. 내가 생각한 죽음의 방식을 미리 행한 분이 고.(故) 이어령 교수다. 죽을 때까지 자신이 좋아하는 연구를 하였으며 암 진단을 받은 후 자신의 여명을 알고 나서도 끝까지 자신의 본분을 잃지 않은 분이었다. 자신이 좋아하는 일을 하다가 자연사(自然死)하는 것이 나의 바람이다.

핵심개념

~사람은 누구나 죽는다. 죽음에 대해 너무 연연하지 말자.

본질에 충실한 것

전 문직으로 살고 있지만 주위에서 정말 실력있고 열심히 사는 분들이 권력을 탐하거나 방송에 들락거리는 것을 본 적이 없다. 그래서 폴리페서(Polifesser)나 방송에 자주 출연하는 교수들을 싫어한다. 요즈음 같이 교수가 남발되는 세상에는 더욱 그렇다. 의대만 해도 임상교수, 기금교수, 촉탁교수, 입원전담교수 등 말만 교수이지 사실상 의료 노동자들 아닌가?

다른 학과들도 더했으면 더했지 못하진 않을 것이다. 교수라는 직책의 사탕으로 노예들을 양산하는 학교 재단도 문제지만, 교수라면 죽고 못사는 사농공상(士農工商) 사상도 문제이고, 거기에 기생하는 지식 노동자들인 교수 지망생도 문제인 건 마찬가지다.

물론 모든 교수들을 모두 다 싫어하는 것은 아니고 열심히 연구에 매진하는 교수님들과 인류에 기여하는 지식으로 이 사회에 도움이 되는 **진짜 교수님들은 매우 존경한다**. 사회의 모든 구성원은 자신의 본질에 충실할 때 가장 아름답다.

핵심개념

~본질에 충실하고 항상 초심으로 돌아가자

세상을 이끄는
우주의 원리는
무엇일까?

세상을 이끄는
우주의 원리는 무엇일까?

 가 생각하는 우주의 원리란 **성장과 진화**이다.

우주의 생성에 대한 이론은 여러 가지가 있지만, 대표적으로는 빅뱅(Big Bang) 우주론이 있다. 빅뱅 우주론에 따르면, 우주는 약 138억 년 전에 매우 작고 뜨거웠던 하나의 점(點)에서 시작되었다..이 점은 모든 에너지와 물질이 모여있는 상태였고, 폭발적인 확장과 함께 우주는 형성되었다.

빅뱅 이후에는 우주의 온도가 급격히 감소하면서, 초창기 우주는 뜨거운 가스와 에너지로 가득 차 있었다. 이 가스와 에너지가 서로 충돌하고, 중력의 영향으로 큰 구조물들이 형성되었다. 우주의 구조물은 크게 별과 갈라진 은하, 은하들이 모인 거대한 구조인 우주 집단, 그리고 이 집단들이 모여 우주 전체를 이루는 큰 규모의 구조로 이루어져 있다. 우주의 생성 이론은 아직 많은 미스터리와 의문점이 존재하지만, 천문학 연구와 실험으로 우주의 탄생과 진화에 대한 지식을 더욱 확장하고 있다. 그리고 잘 알다시피 우주는 지금도 가속팽창하고 있다.

반대로 미세 세계로 나아가면, 소립자는 화학적으로 구성된 가장 작은 입자로서, 어떠한 화학 반응에서도 더 이상 나눌 수 없는 단위이다. 소립자는 양성자(proton)와 중성자(neutron)로 이루어져 있으며, 전자(electron)가 둘러싸고 있다. 양성자는 양전하를, 전자는 음전하를 가지고 있으며, 중성자는 전하가 없다. 원자(atom)는 서로 다른 원자들이 서로 결합하여 분자(molecule)를 형성할 수 있다.

분자는 원자들 간에 전자를 공유하여 결합하는데, 이러한 결합을 공유 결합이라고 한다. 분자는 화학 반응에서 하나의 단위로서 역할을 하며, 화학 반응에서 원자들은 다른 분자나 원자들과 결합하여 새로운 화합물을 생성한다. 예를 들어, 수소 원자 두 개가 결합하여 수소 분자를 형성할 수 있다. 수소 분자는 두 개의 수소 원자가 공유 결합을 통해 결합한 것으로, 이 분자는 물리적으로 수소 원자와는 다른 특성을 가진다.

이와 같이, 원자와 분자는 화학 및 물리학에서 중요한 개념으로서 다양한 분야에서 연구되고 있다. 소립자, 원자, 분자, 그리고 고분자는 화학적인 구성 단위로, 이들이 서로 결합하여 다양한 화학 반응을 일으키고, 이러한 화학 반응은 지구상의 모든 생물 및 환경에서 발생한다.

인가 진화의 과절에서 이렇게 인가의 조상들을 하합 발응을 통해 생명체로 진화했다. 초기 지구에서는 아주 작은 규모의 생물체들이 존재했으며, 이들은 단순한 화학 반응에 의해 생성되었다. 이후, 이러한 생물체들은 자연 선택의 작용을 통해 변화하고 진화하며, 다양한 생물 종으로 분화되었다. 인간 진화의 초기 단계에서, 생물체들은 단순한 화학 반응에 의해 생성되었으며, 이러한 생물체들은 서로 다른 분자들이 서로 결합하여 더 큰 분자들을 형성할 수 있도록 도움을 주는 효소들과 같은 화학적인 장치들을 가지고 있었다.

이러한 화학적인 작용은 지구상의 생물체들이 진화하며 발전할 수 있도록 기반을 마련했다. 이후, 인간은 지구상에서 가장 발전한 종으로 진화했다. 인간의 진화는 생물학적인 측면 뿐만 아니라 문화, 지식, 기술 등 다양한 측면에서도 진화하고 있으며, 이러한 진화는 화학적인 원리와 기반 위에서 일어나고 있다.

 결국 우리 인간은 이 거대한 우주가 하나의 점(點)에서 만든 피조물(被造物)이며, 거시적으로나 미시적으로 성장과 진화를 지금도 거듭하고 있는 것이다. 그러므로 우리는 이 우주의 원리를 거스르지 말아야한다. 파괴와 퇴보는 우주의 원리에 맞지 않다. <u>오직 성장과 진화를 할 때만 우주가 우리를 도울 것이다.</u>

 핵심개념

~성장과 진화는 우주의 핵심 원리이다.
~성장과 진화를 할 때만 우주가 우리를 도울 것이다.

영원한 것은 무엇일까?

영원한 것은 무엇일까? 아마도 영혼이 아닐까 생각한다. 100년도 살지 못하는 이 세상에서 물질적인 것은 한계가 분명하다. 그렇다면 내가 영원히 가지고 갈 것은 영혼뿐이다.

작년에 장인어른께서 돌아가셨다. 발인 전날 집 근처를 걷고 있는데 평생 한 번도 본 적이 없는 푸른색 호랑나비가 내 몸 주위를 몇 바퀴나 돌더니 하늘로 올라가는 것이었다. 기분이 아찔했다. 처음 드는 기분이었는데 이전에도 이후에도 다시는 그런 일이 생기지 않았다. 지금까지도 개인적으로는 돌아가신 장인어른이 나한테 잠시 왔다 갔다고 생각하고 있다. (물론 주위 사람들은 다들 아니라고 한다)

나는 영혼의 존재를 믿는다. 그래서 태어날 때보다 좀 더 아름답고 깨끗한 영혼으로 죽고 싶다.

핵심개념

~영원한 것이 영혼밖에 없다고 한다면 그 영혼의 수련에 우리의 인생을 걸어보면 어떨까?

인생의 좌우명

의 인생 좌우명은 '감사'다. 매사에 항상 감사하는 마음을 갖는 것은 정말 중요하다. 앞에서 잠깐 언급했듯이 우리 어머니는 항상 말끝에 '감사,감사'라는 말을 달고 사신다. 어릴 때부터 그 말을 너무 많이 들어서 어떤 때는 어머니를 놀린다고 웃으면서 "감사,감사,그만하세요"라고 말한 적도 있었다.

그런데 그 말이 정말 축복이라는 것이 세월이 흐르면서 나에게 다가왔다. 내가 '감사, 감사' 할수록 감사할 수 있는 일이 점점 더 생기는 것이었다. 그리고 행복해졌다. 항상 감사하자. <u>저 먼 우주의 원자들이 모여 이렇게까지 진화된 고등 생명체로 만들어진 것이 '감사' 그 자체다.</u>

핵심개념

~감사하면 행복해진다. 감사 두 번하면 두 배 행복해진다.

···
**여덟 번째 점,
야나기바시 시장
やなぎばしれんごういちば**
···

"와, 여기가 야나기바시 중앙시장이구나. 카와바타 상점가와는 또 다른 느낌이네. 과연 하카타의 부엌으로 자처할 만한 재래시장이구만. 그래도 쿠로몬시장이나 니시키시장보다는 좀 작은 느낌이긴 하지만, 관광객이 적어서 그런가 옛날 분위기가 정말 잘 살아 있네."

시끌시끌한 시장 입구로 들어서면서 구보타 기자는 자신도 모르게 혼잣말을 하고 있었다. 오랜 취재기자 생활 동안 몸에 자연스럽게 베여있는 정리하는 습관이었다. 사람마다 정리하는 습관이 다를 수 있겠지만, 구보타의 경우 그 습관은 생각한 것을 혼잣말로 내뱉는 것이었다.

구보타는 자수성가한 경제인에 대한 기획기사를 준비하면서 데넨 회장에 대한 기초 자료를 수집을 위해 이곳 야나기바시 시장을 찾았다. 옛 연인이었던 리코 상은 흔하지 않은 하카타벤(博多弁)을 사용했던 터라 아무래도 후쿠오카 인근을 방문할 때마다 그녀가 먼저 떠오르는 것은 어쩔 수 없는 자연스러운 현상이었다. 갑자기 야나기바시 시장 한 귀퉁이에서 리코 상이 튀어나오기라도 할 것처럼 느껴져 구보타 기자는 조금은 경직된 상태로 거리를 걷고 있었다.

구보타 기자는 지금까지 수많은 성공한 경제인들을 인터뷰하면서 자신의 커리어를 쌓아 왔기 때문에 데넨 회장의 경우에도 평소에 진행해 왔던 인터뷰의 일환이었을 뿐 특별하다는 생각을 가지고 접근했던 것은 아니었다. 하지만 데넨 회장이 어린 시절을 보냈다고 알려진 야나기바시 시장은 구보타 기자의 생각보다 더 작은 규모의 시장이었고, 재래시장이라면 일반적으로도 번듯한 외관을 갖추고 있지는 않았지만, 특히 야나기바시의 경우에는 관광객조차 찾지 않아 다른 한편으로 더 초라한 느낌이 들기도 했다.

이곳에서 만나기로 약속한 사람은 모리상이었다.

책장 사이로 걸어 들어가는 순간 마치 책들의 속삭임이 들려오는 듯했다. 포근한 종이 냄새와 나무 냄새로 가득한 동네 작은 서점이었지만, 나름대로의 정서와 정취를 지닌 느낌이 좋은 서점이었다. 그곳에서 구보타 기자는 모리상을 만날 수 있었다.

"처음 뵙겠습니다. 저는 일전에 연락을 드렸던 구보타 기자입니다. 실례가 되겠습니다만, 모쪼록 잘 부탁드립니다."

"어서 오십시오, 모리라고 합니다. 이쪽으로 앉으시지요."

작은 서점 안에는 한쪽 구석에 의자일지 발판일지 모호한 나무로 만들어진 거친 의자가 놓여 있었고, 그것은 그것 나름대로 서점의 분위기와 잘 맞는다고 구보타 기자는 생각했다.

"서점이 참 고풍스럽고 느낌이 좋습니다."

"오랫동안 이 자리를 지켜온 세월 탓이겠지요."

"인터뷰를 마치고 돌아갈 때, 추천하실 만한 책도 좀 소개해 주시면 좋겠는데요."

"물론 그렇게 하겠습니다."

서점에 대한 이런저런 이야기들을 포함한 예의를 차리기 위한 인사가 오가고 난 후 구보타 기자는 본론으로 슬며시 들어가기 시작했다. 너무 오래 시간을 보낸다면, 취재 일정에 문제가 발생할지도 모르기 때문이었다.

"데넨 회장에 대한 기획 기사를 준비하면서 이곳을 꼭 방문하라는 이야기를 들어서 이렇게 실례를 무릅쓰고 찾아뵙게 되었습니다."

"아, 데넨 회장에 대해서는 저도 잘 알지요."

"어린 시절을 여기서 보냈다고 들었는데요. 데넨 회장의 어린 시절은 좀 어땠습니까?"

"그렇게 부유한 가정 형편은 아니었던 것으로 기억합니다. 다만, 어머니께서 책을 구입하는 데는 돈을 아끼지 않는 분이셨습니다. 참 단아한 분으로 기억됩니다."

"어린 시절부터 책을 많이 좋아했나 보군요."

"꼭 책을 구매하지 않더라도 자주 놀러 와서 책을 살펴보곤 했습니다. 그 당시 문고판으로 출간되는 손에 쏙 들어가는 작은 책들이 있었는데요. 주로 그런 책들을 구매해서 읽곤 했었지요."

"아, 저도 어린 시절 읽었던 추억이 새록새록 기억납니다."

"하하, 어린 시절부터 야구 관련된 책도 많이 보곤 했는데, 어떤 날은 돈이 없었는지 와서 한참을 서서 책을 읽고 있더라구요. 그 모습이 대견해서 제가 차를 한잔 내어주었던 기억도 나네요."

"책을 좋아하는 아이였다는 것은 알겠습니다. 그것 외에 또 다른 특별한 점을 느끼거나 한 적은 없으셨나요?"

"뭐, 어린아이들이야 모두 비슷비슷하잖아요. 데넨 회장도 어린 시절에는 장난꾸러기에 불과했지요. 하지만 자기 자신의 미래에 대해 굉장히 확신에 찬 어투로 자신은 커서 의미 있는 일을 꼭 하고 말겠다고 동네방네 떠들고 다니는 당찬 아이였어요. 아, 이모호야 상이라면 저와는 또 다른 이야기들을 가지고 계실 겁니다. 어린 시절의 데넨 회장을 아주 귀여워했으니까요."

추천받은 책을 몇 권 구매한 구보타 기자는 이세 서점과는 전혀 다른 곳을 향해 걷고 있었다. 모리상은 인근에 있는 정육점 가게 주인인 이모호야상을 소개해 주었다.

데넨 회장에게 이곳 야나기바시 시장은 어쩌면 놀이터였을지도 모른다. 그래서인지 구보타 기자는 거리를 걸으면서 골목길에서 들려오는 아이들의 웃음소리를 상상해 보기 위해 노력하고 있었다.

"안녕하세요. 이모호야상, 저는 모리상의 소개를 받고 찾아뵙게 된 구보타라고 합니다. 현재 기자로 데넨 회장에 대한 기사를 작성하고 있어서 방문드리게 되었습니다. 잘 부탁드립니다."

"네, 모리상이 전화로 말씀해 주신 구보타상 되시는군요. 반갑습니다."

"모리상께서는 이모호야상께서도 데넨 회장에 대해 아주 잘 알고 계실 거라고 하시면서 이야기를 한번 들어보라고 권하시더군요."

"데넨상에 대해서라면 저도 잘 알지요. 어린 시절 저희 가게를 자주 찾았으니까요."

이모호야상의 얼굴에는 잔잔한 웃음이 흘렀다.

"이미 모리상에게 듣기는 했습니다만, 이모호야상께서 기억하시는 데넨 회장은 어떤 사람이었는지요?"

"어머니 심부름으로 자주 저희 가게에 고기를 사러 오는 똘망똘망했던 아이였지요."

"부모님 심부름을 하는 아이들은 꽤나 흔한 이야기인데, 굳이 기억하시는 이유가 있을까요?"

"아이들이 심부름을 하는 일이야 자주 있는 일이지만, 심부름하기에도 너무 작은 아이가 소고기를 사러 왔다고 하니까 웃음이 나더라구요. 심부름하기에는 너무 어린 게 아니냐고 제가 물었어요."

"그랬더니요?"

"아 글쎄, 그랬더니 자기도 심부름할 만한 나이는 되었다면서 어머니가 편찮으셔서 대신 왔다고 하더라구요. 한숨을 푹푹 쉬는 모습이 귀여워서 제가 고기를 조금 더 얹어 주었더니 나중에 어머니께서 인사를 나누러 들려주셨답니다. 작은 꽃까지 선물로 사오셨더라구요. 정육점에 꽃이라니 무엇인가 특별하잖아요. 그래서 기억한답니다."

"그 이후에도 자주 심부름을 오던가요?"

"한 번은 오다가 주웠다고 작은 도토리 몇 알을 내민 적이 있습니다. 저는 그 아이의 그런 천진함이 정말 좋았답니다. 어머니를 드리기 위해서 주웠는데, 두 개만 저에게 주겠다고 내밀던 작은 손에 담겨 있던 도토리를 생각하면 아직도 웃음이 나온답니다."

"어린 시절부터 사람들을 대하는 모습이 조금은 남달랐던 모양이네요."

"네, 그런 편이었지요. 아주 친절하고 귀여운 아이였다니까요. 그런데 커서 저렇게 커다란 사업을 하는 사업가가 될 줄 누가 알았겠어요?"

이모호야상과 이런저런 이야기를 더 나눈 후, 구보타 기자는 야나기바시 시장을 조금 더 둘러보았다. 초라한 행색의 좁은 골목을 가진 시장이었지만, 사람들은 활기찼고, 좀 더 재래시장다운 맛이 있었다. 사람들은 책 속에서도, 거리에 떨어진 도토리 몇 알 속에서도 결국 사람을 기억하게 된다. 구보타 기자는 자신이 써 내려간 기사들도 결국에는 누군가의 손에 들려 또 다른 이야기들 속에서 사람들을 기억하게 할 것이라고 생각했다.

　그리고 그에게는 이번 주까지 마감해야 할 KMP 그룹 데넨상에 관한 원고가 남겨져 있었다. 그는 원고를 마감하기 전, 데넨 회장이 도서관을 세웠다는 도진마치를 마지막으로 방문하기로 했다. 야나기타상과의 약속에 늦지 않기 위해 그는 발걸음을 재촉하기 시작했다.

...

"자네 지금 찾아오는 만큼 나중에 반에
반이라도 오면 좋겠는데"

...

의대 4학년 때인가, 같은 과 동기 CC(campus couple)였던 지금의 와이프 집에 공부하러 갔을 때 장모님께서 한 번 하셨던 말씀이다. 그 당시에는 사실 좀 충격이었다. 나는 그때 속으로 '설마 내가 그 정도밖에 찾아 뵙지 못하겠느냐'고 생각했다. 하지만 결혼 후에 장모님의 말씀은 사실대로 되었고, 사실은 반에 반이 아니라 그 반도 못 갔다.

이 핑계 저 핑계 꼭 필요할 때만 뵙고, 나중에 장모님께서 위암으로 수술받고, 후에 폐렴으로 고생하실 때도 자주 가지 못했다. 장모님은 딸 다섯의 막내 딸인 와이프에게 특별히 애착을 가졌지만 졸업하자마자 인턴 때 결혼하려는 우리에게 아쉬움 없이 흔쾌히 허락해 주셨다.

지금 우리 큰아들이 대학원 2학년이니 당시 우리가 결혼한 시점이 되는데 참 대단하다는 생각이 든다. 그리고 당신 딸을 닮은 외손자가 대학교에 합격했을 때 나보다 더 좋아하시던 모습을 잊을 수 없다. 몇 년 동안 장모님은 많이 아프셨고 결국 3년 전에 돌아가셨다.

돌아가실 쯤에 저 말씀이 정말 가슴에 맺혔다.

오늘따라 장모님이 해주신 탕국을 먹고 싶다.

> ...
> "자신이 치유되는 느낌이야"
> ...

이 글들을 쓰면서 와이프에게 했던 말이다. 글을 쓴다는 것은 자신의 내면을 살펴보고, 자신의 있는 그대로를 숨김없이 글로 고정시키는 것이었다. 그 글로 인해 결국 자신이 치유된다는 것을 나는 깨닫게 되었다. 지금 내가 쓰는 글은 이렇게 고정이 되겠지만 나는 앞으로도 계속 진화할 것이다.

이 글들은 모두 자기 반성이자 내 자신에게 거는 대화였다. -이 책을 부모님, 장인, 장모님과 나의 영원한 친구이자 동반자 정선, 여동생 은정, 삶의 동력인 성주, 나은, 재은, 책을 쓰게 동기부여를 해준 김수철 크리비즈 대표님 그리고 미래에 나를 기억해줄 수 있는 이들에게 바친다. 마지막으로 부족한 저를 이 세상에 있게 해준 Something Great, 하나님께 감사드린다.-

- 좀 더 따뜻한 세상을 만들기 위해 이 책의 수익금 일부는 '사회복지재단 위드아시아 (with ASIA)'에 기부되어 아시아의 소외된 사람들과 함께 합니다 -

시체 표시

표지·내지의 일부

안심글꼴파일 서비스[1]

무료글꼴, 양평군, 양평군체 B(내지의 일부)
무료글꼴, 경기도, 경기천년바탕체 R(내지 및 표지의 일부)
무료글꼴, 경기도, 경기천년바탕체 B(내지의 일부)

무료글꼴, 경기도, 경기천년제목체V B(내지의 일부)
무료글꼴, 문화재청, 문화재돌봄체 B(표지의 일부)
무료글꼴, 서울시, 서울남산 장체 B(내지의 일부)

무료글꼴, 서울시, 서울한강체 B(내지의 일부)
무료글꼴, KOTRA, 코트라 볼드체(내지의 일부)
가나초콜릿체 R, 롯데제과 주식회사, KOGL '안심글꼴파일 서비스', OFL(내지의 일부)
무료글꼴, 아산시청, 이순신체 Bold R(표지 및 내지의 일부)

개인 및 기업

함초롬바탕체 R, 한글과컴퓨터, '다운로드 전체보기', 무료글꼴(내지의 일부), (2024.01.07),
URL: https://www.hancom.com/cs_center/csDownload.do
함초롬바탕체 B, 한글과컴퓨터, '다운로드 전체보기', 무료글꼴(내지의 일부), (2024.01.07),
URL: https://www.hancom.com/cs_center/csDownload.do
Spoqa Han Sans Neo R, 스포카, '내려받기', OFL(내지의 일부), (2024.01.07), URL:
https://spoqa.github.io/spoqa-han-sans/#download

닥터데넌
점을 이어 선으로

발 행 | 2024년 1월 25일
저 자 | 김용범
펴낸이 | 한건희
펴낸곳 | 주식회사 부크크
출판사등록 | 2014.07.15.(제2014-16호)
주 소 | 서울특별시 금천구 가산디지털1로 119 SK트윈타워 A동
305호
전 화 | 1670-8316
이메일 | info@bookk.co.kr

ISBN | 979-11-410-6884-4

www.bookk.co.kr